Collection Zoombira

RICHARD PETIT

L'ÈRE DES TÉNÈBRES

Texte et illustrations de Richard Petit

Dépôt légal : Bibliothèque et Archives
nationales du Québec, 3e trimestre 2007

ISBN : 978-2-89595-228-2

Imprimé au Canada

Gouvernement du Québec – Programme de crédit
d'impôt pour l'édition de livres – Gestion SODEC

Boomerang éditeur jeunesse remercie la SODEC
pour l'aide accordée à son programme éditorial.

Nous reconnaissons l'aide financière du
gouvernement du Canada par l'entremise du
Programme d'aide au développement de l'industrie
de l'édition (PADIÉ) pour nos activités d'édition.

edition@boomerangjeunesse.com
www.boomerangjeunesse.com

Avec nous, tous ensemble...

Prologue

La traversée de l'atoll de Zoombira devenait plus périlleuse. Plus Tarass, Kayla et Trixx avançaient vers Drakmor et plus les hordes d'ograkks se faisaient nombreuses. Partout, à tout instant, ils craignaient de tomber dans un piège mortel ou une embuscade sanglante.

Le cap de la moitié de cette colossale quête franchi, ils progressaient, intrépides, ralliant sur leur passage les plus valeureux combattants que la terre n'eut jamais portés... LES MEILLEURS !

Son sifflet de Rhakasa qu'il portait autour du cou rappelait à Tarass ses alliés de quête. Chaque fois que son sifflement se faisait entendre, il se sentait envahi et animé d'un grand souffle de persévérance.

Les mois passés à errer dans les dédales du labyrinthe avaient été très bénéfiques pour Trixx. Avec l'aide de Tarass, il avait pu parfaire sa technique de maniement de son épée, épée laissée à

9

son intention dans le dos d'un monstre, par un très lointain ancêtre.

En plus de se valoriser du pouvoir de métamorphose d'un morphom, il pouvait dorénavant, lui aussi, s'enorgueillir d'être un combattant redoutable. La quête vers Drakmor l'avait changé considérablement. Il était maintenant devenu un homme, un homme dangereux pour ses ennemis.

Tarass Krikom, Trixx Birtoum et Kayla Xiim, la jeune mage. Combien de fois ces noms avaient résonné aux oreilles de Khonte Khan ! Leur réputation de sauveurs de l'atoll les avait précédés.

Exaspéré, Khan avait donné l'ordre de supprimer tous les obstacles à la poursuite de sa destinée. COÛTE QUE COÛTE ! Surtout, surtout cette jeune magicienne des mandalas…

Plus que jamais, les trois jeunes Lagomiens mettaient en péril son plan sordide de devenir le maître suprême de l'atoll de Zoombira.

En ce moment même, des troupes entières d'ograkks parcouraient l'atoll dans le but de les retrouver et de les assassiner.

Khonte Khan savait très bien qu'aucun guerrier, aussi puissant fût-il, ne voulait avoir à ses trousses ce trio redoutable. Il avait donc dépêché, en plus de ses cruels ograkks, des meurtriers sanguinaires géants... DES ZARKILS !

Dans le labyrinthe, à la hauteur d'une bifurcation, Tarass, Kayla et Trixx s'étaient soudainement arrêtés lorsque, devant eux, les murs de pierres avaient fait place à des murs entièrement constitués de métal...

JAPONDO

LAGOMIAS

ÉGYPTIOS

INDIE

JURASSIUM

AZTEKA

DRAKMOR

ROMIA

GRECCIA

LA CONTRÉE
OUBLIÉE

S

13

Un autre monde

Immobile, Kayla observa curieusement les deux murs étranges devant elle. Trixx faisait rouler nerveusement ses yeux tout autour de lui et examinait, lui aussi, les grandes structures. Tarass était entre ses deux amis, sur ses gardes…

À quelques mètres devant, les pierres qui constituaient habituellement les murs du labyrinthe faisaient place à de grandes plaques de métal solidement reliées entre elles par des milliers de gros boulons.

Les trois compagnons de quête éprouvaient une drôle de sensation, un mélange d'inquiétude et de crainte, car les pierres qu'ils avaient l'habitude de côtoyer lors de leur déplacement entre chacune des contrées leur procuraient une certaine sécurité.

Tarass s'aventura jusqu'à toucher le mur brillant. Plus froid que la pierre, il semblait aussi beaucoup plus solide.

— Qui a construit ce mur à ton avis, Tarass ? lui demanda Trixx.

Tarass haussa les épaules…

— Je n'en ai aucune idée, mais j'ai le regret de te dire que, peu importe qui les a érigés, ils étaient une civilisation malheureusement beaucoup plus évoluée que la nôtre.

— Je n'ai jamais vu autant de métal dans un même lieu, avoua Kayla. Le peuple de cette contrée a appris à maîtriser facilement ce matériau, comme nous avons appris à maîtriser le bois.

— Crois-tu que, sans nous en être aperçus, nous avons abouti à Drakmor ? demanda Trixx à Kayla. Ça expliquerait tout ! Avec sa maudite sorcellerie noire, Khan serait certainement capable de construire ce type de fortification.

— Non, je ne crois pas ! lui répondit-elle.

Elle consulta les notes qu'elle prenait lors de leurs déplacements dans le labyrinthe.

— C'est bien ce que je pensais ! Selon mon tracé, nous nous trouvons actuellement au centre sud de l'atoll et Drakmor est complètement à l'est. Nous sommes malheureusement encore pas mal loin de notre destination.

— Au centre sud de l'atoll ? répéta Trixx. Nous ne devons donc pas être loin de la contrée oubliée…

Tarass remarqua soudain de la lumière colorée qui émanait d'une plaque au centre d'un mur, juste à l'intersection devant eux. À pas mesurés, il s'y dirigea, suivi de ses amis. Se tenant devant la plaque, intrigué, Tarass examina les petites lueurs qui clignotaient de façon régulière. Il se retourna vers Kayla.

— C'est très étrange, lui dit-il, les yeux crispés d'incompréhension. Derrière le verre, il y a comme des petites chandelles allumées…

Dans la contrée médiévale de Lagomias, la technologie était une chose complètement inconnue pour les habitants. Ce que Tarass méprenait pour des chandelles était en fait un panneau de distribution électrique.

Perplexes, Kayla et Trixx examinèrent à leur tour le panneau.

— Tu as déjà vu ce genre de chose, toi, Kayla ? voulut savoir Trixx.

Kayla étudia l'objet encastré dans le mur.

— Non ! jamais vu un truc pareil de ma vie.

Tarass s'élança et frappa le panneau avec son coude. Le panneau se plia et des éclats de verre coloré volèrent dans toutes les directions.

Kayla sursauta de peur…

— AÏE ! tu sais que l'on ne peut pas toujours tout résoudre par la violence, lui lança-t-elle, le cœur dans la gorge.

— Envers un objet, lui rétorqua-t-il, on ne peut pas appeler ça de la violence…

— Non, mais la prochaine fois que tu agresses une chaise, une table ou n'importe quoi d'autre, tu me préviens, hein ! Tu pourras m'éviter une crise de cœur.

Tarass tira le panneau et remarqua que

la lumière qu'il croyait provenir de chandelles s'était maintenant éteinte. Poussé par sa curiosité, Trixx se montra téméraire et toucha avec le bout de son index un fil dénudé. Une décharge électrique de très faible intensité parcourut tout son corps.

— AAAAAAH ! cria-t-il en regardant sa main. KAYLA ! FAIS QUELQUE CHOSE ! UN SORCIER CACHÉ DANS LE MUR VIENT SÛREMENT DE ME JETER UN MAUVAIS SORT !

Tarass plaça son bouclier devant lui et jeta sa tête dans le trou pour regarder derrière le panneau.

Kayla examina Trixx qui, les yeux écarquillés, semblait être à l'agonie. Sur le corps de son ami, elle ne nota rien d'autre qu'une très petite et très insignifiante brûlure au bout du doigt.

— MAIS TU N'AS ABSOLUMENT RIEN ! lui hurla-t-elle. CESSE DE CHIALER COMME UN ENFANT !

Tarass s'écarta du panneau.

— Il n'y a personne de caché dans ce mur, pas de sorcier, rien…

— Je vous dis que j'ai mal ! reprit Trixx. Très mal !

— OÙ ÇA ?

— MAIS LÀ, VOYONS ! J'AI LE DOIGT NOIR JUSQU'AU COUDE !

— Jusqu'au coude ! riait Tarass. Quel pleutre !

— MAIS JE TE DIS QUE TU N'AS PAS ÉTÉ ENVOÛTÉ ! tenta de lui faire comprendre Kayla. Je crois qu'il ne s'agit que d'une décharge électrique, comme un petit éclair.

— UN ÉCLAIR ! répéta-t-il, stupéfié. J'AI ÉTÉ FRAPPÉ PAR LA FOUDRE !

— J'ai dit COMME un PETIT éclair ! Ce n'est pas la foudre, c'est quelque chose de beaucoup moins dangereux, rassure-toi.

— Si ce n'est pas de la magie alors, la questionna Tarass, qu'est-ce que c'est, d'après toi ?

Kayla s'approcha de nouveau du panneau. Plusieurs fils de couleurs s'entremêlaient et reliaient les différentes pièces les unes aux autres. Il n'y avait cependant aucune chandelle, mais plutôt des petites boules de verre dans lesquelles se trouvaient de minuscules filaments.

— Je n'en ai aucune idée.

Tarass insista.

— Mais Kayla, avec ta tante, le mage Marabus, vous devez certainement avoir lu dans un de vos livres anciens quelque chose là-dessus, ce n'est pas possible. La tour du mage regorge de manuscrits qui traitent de tous les sujets possibles.

Kayla réfléchissait…

— Est-ce que tu sais pourquoi cette partie de l'atoll a été nommée la contrée oubliée ? Parce que justement, les habitants de cette contrée ont tellement bien su se protéger qu'ils sont complètement tombés dans l'oubli. Ils ont vécu des millénaires sans que quiconque parvienne à traverser les dédales du labyrinthe autour de leur contrée. Aucun homme n'y est entré, aucun homme n'en est jamais ressorti pour en parler.

Tarass et Trixx écoutaient attentivement.

— Pour cette raison, nous ne connaissons rien sur cette civilisation, sinon qu'elle est passée maître dans la pratique d'une magie surpuissante et totalement inconnue des autres contrées de Zoombira. Une magie au nom étrange : la magie de la technologie…

— LA TECHNOLOGIE ! répéta Tarass.

Son visage passa d'une mimique moqueuse à une autre.

— Quel nom rigolo pour une magie ! Comment pouvaient-ils espérer frapper de peur le cœur de leurs ennemis avec un nom pareil ? La technologie…

Trixx s'esclaffa.

— HA ! HAA ! HAAA !

— Moi, à votre place, bande d'ignares, je cesserais de me bidonner, leur conseilla fortement Kayla d'un air renfrogné. Vous savez tous les deux que selon les écrits, trois fois se serait reproduit, sur terre, le cycle de l'évolution. Trois fois, les dinosaures auraient marché sur la terre. Autant de fois pour les dynasties des pharaons, les empereurs d'Azteka et les grands chevaliers du Moyen Âge. Mais ce que vous ne semblez pas savoir, c'est que la magie de la technologie est la grande responsable de la fin de chacun de ces cycles. C'est elle qui a complètement détruit, anéanti, annihilé, chaque fois, les civilisations de la terre. Entre toutes les magies, la blanche, la bleue, la noire, même la sorcellerie, la magie de la technologie détient la palme du procédé surnaturel le plus dévastateur. Elle se glorifie d'avoir réussi à exterminer des milliards de personnes au cours de l'histoire de notre planète. Des milliards de nos ancêtres, et vous trouvez cela drôle ?

Muets d'étonnement, Tarass et Trixx regardaient Kayla. Ils regrettaient beaucoup, tous les deux, leurs commentaires et leur conduite.

Leur discussion connut une accalmie le temps de quelques grains du sablier, jusqu'à ce que l'un des trois brise le silence. Ce fut Tarass.

— Si les habitants de cette contrée possèdent une magie si puissante, alors, ils n'ont rien à craindre de Khonte Khan. Ils ne seront jamais envahis par ces hordes d'ograkks.

— Au contraire ! lui répondit Kayla. Mets-toi à la place de Khan.

— NON ! Je ne veux pas me mettre à la place de cet être répugnant, ignoble et sans scrupules.

— Hypothétiquement seulement, lui demanda-t-elle. Supposons que tu veux conquérir l'atoll. Logiquement, il est préférable pour toi de commencer par attaquer la contrée la plus puissante et la mieux protégée. Si tu en ressors victorieux, en plus de posséder cette contrée, tu pourras te servir d'une magie très dévastatrice pour attaquer les autres...

Tarass spéculait.

— Alors, selon toi, la contrée oubliée serait déjà tombée sous le joug de Khan puisque nous savons, preuve à l'appui, qu'il a déjà commencé à envahir les autres.

Kayla fit oui avec un très petit signe de la tête.

— MERDE D'OGRAKKS ! s'emporta Trixx. Et nous ne connaissons absolument rien sur cette magie.

— Mieux vaut tard que jamais ! lança Kayla. Les connaissances que nous allons acquérir dans cette contrée seront cruciales à notre réussite et à notre survie. Commençons tout de suite ! Il faut examiner ce panneau.

Trixx s'y opposa vivement.

— MAIS VOUS ÊTES FOUS ! Mon doigt a failli mourir foudroyé...

— Ton doigt ! répéta Tarass.

— OUI ! mon doigt. On voit bien que ce n'est pas ton doigt à toi qui est calciné...

— Allons bon, tu connais le proverbe, lui dit son ami. La foudre ne retombe jamais deux fois au même endroit. Alors, puisque tu n'as plus rien à craindre, c'est toi qui vas examiner le panneau.

Trixx le regarda d'une mine déconfite.

— Qu'est-ce que tu veux que je fasse ?

— Tire sur les fils et les composants pour ramasser tous les objets que tu pourras, lui demanda Kayla. Ça va m'être certainement très utile pour apprendre les rudiments de cette magie.

Trixx se tourna vers le mur et fixa le panneau.

— Vous direz à mes parents que je les aime…

— Non mais, quelle mauviette ! s'impatienta Tarass. Allez, et ramasse tout ce que tu peux !

Trixx introduisit sa main droite dans l'ouverture, puis saisit une poignée de fils multicolores ainsi que plusieurs pièces. Ensuite, il ferma les yeux, puis tira vers lui de toutes ses forces.

Dans le trou derrière le panneau, des étincelles jaillirent de tous les côtés. Trixx s'écarta vite du mur avec en main tous les éléments que comportait le panneau. Fier de lui, il les remit à Kayla qui, curieuse, examina chacune des pièces avec une très grande attention.

— Crois-tu être capable de faire de la magie de technologie avec ces machins bizarres ? lui demanda Tarass.

— Je ne sais pas, mais c'est tout simplement admirable et extraordinaire, dit Kayla, fascinée. Je n'ai jamais rien vu qui ressemble à ça.

— ATTENTION ! lui rappela Trixx. Extraordinairement dangereux, tu veux dire ! Ces bidules peuvent tuer des milliards de personnes et même pire, ils peuvent aussi brûler le bout de ton doigt.

Il porta son index devant les yeux de Kayla, qui semblait agacée.

Soudain, tous les trois s'arrêtèrent net de discuter. Un bruit de frottement se faisait entendre du passage devant eux. Quelque chose venait vers eux, quelque chose qui rampait sur le sol…

Objet vivant

Entre de curieuses fougères orange, une araignée argentée se déplaçait avec ses pattes métalliques.

Tarass, Trixx et Kayla reculèrent devant cette inattendue et très étrange apparition.

Le corps de l'araignée était de la taille d'un gros chat. Elle avançait directement vers eux, soulevant ses membres mécaniques.

— Mais qu'est-ce c'est que cette contrée de fous ? se demanda Trixx. Ici, les araignées portent des armures ou quoi ? Même les animaux sont en guerre ?

— Je ne crois pas qu'il s'agisse d'un

simple aranéide muni d'une armure, lui dit Kayla, car cette drôle d'araignée traîne une grosse corde tordue derrière elle. Je pense qu'elle est attachée à quelque chose.

Tarass ne voulut courir aucun risque. Il dégaina son bouclier de Magalu et le plaça devant lui et ses amis. Son arme magique les avait protégés si souvent par le passé… Il espérait qu'elle soit aussi efficace devant cette chose bizarroïde à laquelle il faisait face pour la première fois.

L'araignée progressait toujours vers eux, jusqu'à ce que, à leur surprise, elle s'arrête. Deux petites portes s'ouvrirent sur son torse et une déflagration se fit entendre. Une pluie de petits objets pointus semblables à des clous s'abattirent vers Tarass, Kayla et Trixx.

La bordée frappa de plein fouet le bouclier de Tarass et les clous émoussés tombèrent sur le sol.

Une autre détonation suivit la première. Tarass pencha la tête. Deux clous allèrent se planter derrière lui dans le mur, à la hauteur de son visage. Kayla s'était accroupie, cachée derrière lui.

— BLEU ! cria-t-elle à Trixx qui s'était

couché à plat ventre sur le sol, près d'elle et de Tarass. Es-tu capable de prendre la forme de cet objet diabolique afin de le combattre ?

Une autre détonation retentit et les força à se recroqueviller près d'un mur.

— NON ! lui répondit Trixx. Tu le sais comme moi, je ne peux pas me transformer en objet. Bon, je sais, celui-là semble être doté d'une certaine intelligence, mais il s'agit tout de même d'un simple objet...

Une quatrième détonation résonna et plusieurs clous vinrent se planter à seulement quelques centimètres du nez de Trixx.

La main enroulée autour du manche de son épée bleue, il prit une grande inspiration et bondit vers l'araignée. La lame de son épée virevolta au-dessus de sa tête puis s'abattit sur la grosse corde. Sectionné en deux, le gros cordage se tortilla sur le sol comme un serpent à qui l'on venait de couper la tête.

Sur ses huit pattes, l'araignée s'affaissa sur le sol. Elle avait son compte. De derrière son bouclier, Tarass souleva la tête.

— Tu l'as tuée ? s'informa-t-il avant de se lever.

— Oh, je ne sais pas s'il faut dire tuer lorsqu'on parle d'un objet. Abattre, peut-être ? NON ! Assassiner ? NON PLUS ! Envoyer ad patres ? NOON ! Envoyer dans l'autre monde, faire la peau, flinguer, liquider, ratatiner, zigouiller, bousiller ? NOOOOON ! AH ! ÉLIMINER ! OUI ! SUPPRIMER ! BEAUCOUP MIEUX ! Oui ! Si tu veux savoir, j'ai supprimé cet ennemi, termina-t-il fièrement.

Il se mit à examiner la lame de son arme de crainte qu'elle ne se soit ébréchée.

Tarass et Kayla allèrent tout de suite vers l'araignée. Elle gisait là, devant eux, complètement inerte sur le sol. Tarass la poussa avec son pied. Aucune réaction…

— Si je peux dire ainsi, je crois qu'elle est morte.

Kayla se pencha et la ramassa.

La curiosité l'emportant sur ses craintes, elle se mit à l'examiner de tous les côtés.

— À quoi peut-on s'attendre d'une contrée où les objets sont en vie ? réfléchit-elle tout haut.

Trixx replaça son épée, intacte après ce duel, dans son fourreau derrière son dos.

— Qu'est-ce qu'on fait maintenant ? demanda-t-il à ses amis. Vous voulez la conserver elle aussi pour étudier la magie de la technologie ?

— Oui ! répondit Kayla. Mais comment allons-nous la transporter ? Nous n'avons pas de grand sac en toile ni de chariot.

Trixx se pencha, ramassa le bout de corde et s'engouffra ensuite dans un passage du labyrinthe, traînant derrière lui l'araignée qui s'était renversée sur son dos.

— DE CETTE FAÇON !

3

La grande peste

Après quelques longs et monotones sabliers, les murs de métal commencèrent à s'écarter l'un de l'autre. Tarass, Kayla et Trixx savaient tous les trois qu'ils approchaient d'un village ou d'une ville. Ils le savaient très bien.

C'était toujours de cette façon que le labyrinthe de Zoombira s'ouvrait sur une contrée. D'un bout à l'autre de l'atoll, il cheminait à l'infini pour ne jamais se terminer. Alors, ses murs s'écartaient et disparaissaient à l'horizon, de façon à englober la contrée, pour revenir ensemble à l'opposé et former un autre dédale de passages inextricables et protecteurs jusqu'à la contrée voisine.

Plus ils avançaient et plus, de chaque côté, les murs s'écartaient. Devant lui, Trixx ne trouva pas rassurante la présence d'une grande et vaste forêt morte. Jamais il n'avait vu autant d'arbres desséchés et sans feuilles. C'était comme s'il n'y avait pas eu de pluie depuis des dizaines d'années en ces lieux. À part les quelques curieuses fougères orange ici et là, le sol était sec, mort et dénudé de plantation.

Très loin derrière la forêt, au-dessus de la cime dégarnie des arbres, s'élevaient de très grandes structures construites de toute évidence par des hommes. Un étrange nuage verdâtre flottait tout autour.

Près d'un gros arbre mort, tombé, Tarass aperçut deux grands yeux qui regardaient dans leur direction. Il écarta la main devant ses amis qui s'arrêtèrent net à côté de lui. Tarass fit discrètement un signe de la tête en direction des gros yeux.

Trixx laissa aussitôt tomber la corde reliée à l'araignée et dégaina son épée sans faire le moindre bruit.

— Ah non ! soupira-t-il tout bas avec appréhension. Pas un autre de ces objets vivants.

— Il est beaucoup plus gros que l'araignée, celui-là, ajouta Tarass avec regret.

Kayla, elle, demeura totalement immobile, fascinée. L'objet avait ses deux grands yeux braqués directement sur eux, mais ne bougeait pas. Il était comme un grand fauve, prêt à bondir sur sa proie.

De la taille d'un chariot, il possédait, comme lui, quatre roues noires sur lesquelles il semblait être comme assoupi, écrasé. Malgré la rouille qui le rongeait, ils pouvaient tous les trois apercevoir des plaques de peinture rouge qui, de toute évidence, le recouvrait autrefois.

L'objet n'ayant pas encore montré le moindre signe de vie, Kayla décida de faire un test. Elle se mit à marcher sur le côté, tel un crabe, pour s'écarter de ses amis. Ne notant aucune réaction de la part de l'objet, elle traça ensuite un demi-cercle autour, jusqu'à ce qu'elle se retrouve derrière. Là, elle ne remarqua aucune corde ou aucun fil.

Contrairement à l'araignée, cet objet était inerte et n'était pas relié à quelque chose d'autre par une corde. Elle en déduisit alors que cette magie de la technologie n'avait peut-être pas besoin de ce type de lien pour fonctionner. Ce n'était qu'une hypothèse, mais elle savait que, malgré le peu de connaissances qu'elle possédait sur cette magie, elle était sur la bonne piste…

Elle s'approcha d'une vitre brisée. À l'intérieur de l'objet, elle aperçut le corps d'une personne, desséché. Le corps était transpercé de plusieurs flèches. Elle porta sa main à sa bouche et fit signe à ses amis. Tarass et Trixx accoururent tout de suite.

Tarass colla son visage à la vitre sale de l'autre côté de l'objet et aperçut, lui aussi, le corps presque squelettique.

Une odeur malsaine se dégageait de l'objet et envahissait leurs narines. Trixx grimaça et se boucha le nez.

— Vous avez vu ? Il y a quelque chose d'écrit, leur dit-il d'une voix nasillarde. Porsche turbo ZX…

— C'est un objet dans lequel on peut s'asseoir, remarqua Kayla, toute surprise. Vous avez vu ? Il y a des sièges…

Tarass ne répondit pas à Kayla. Il contourna le gros objet et introduisit son bras dans le trou de la fenêtre.

— Mais qu'est-ce que tu fais ? chercha-t-elle à comprendre. Tu es fou !

Tarass extirpa difficilement une flèche du cadavre. Après l'avoir examinée, il la lança au loin.

— C'est une flèche d'ograkks ! Ils sont déjà ici, dans la contrée oubliée. Tu avais raison, Kayla.

Craignant un danger imminent, Tarass se mit en mode vigilance.

— Allez ! On continue.

— Et celui-là ? demanda Trixx. On l'emporte aussi ?

— Trop gros ! lui répondit Kayla. Et puis, il sent trop mauvais.

Ils progressaient tous les trois, tant bien que mal, entre les arbres morts de la forêt. Kayla trouva tout à coup plutôt curieux qu'aucun animal ne se soit encore manifesté. Aucun écureuil, aucun raton laveur, aucun oiseau. À part l'araignée dans le labyrinthe, rien.

Elle se pencha et s'agenouilla. Sur le sol, elle ne vit aucune fourmi. Elle souleva une grosse roche. Dessous, rien non plus, même pas de dégoûtants cloportes ! Elle se releva promptement…

— Je n'aime pas ça, je n'aime pas ça du tout !…

Tarass s'approcha d'elle.

— Quoi ? Qu'est-ce que tu n'aimes pas ? Tu as d'autres mauvaises nouvelles à nous annoncer ?

— Je ne sais pas si tu as remarqué, mais on dirait qu'il n'y a aucun être vivant dans cette contrée, absolument rien ! Il n'y a même pas d'insectes ! Tu entends des criquets, toi ? Réalises-tu qu'il se passe ici des choses qui dépassent notre entendement ?

— Mais qu'est-ce que je peux faire ? Je n'en sais pas plus que toi sur ce qui se passe, Kayla.

Elle était très angoissée et ça se voyait sur son visage.

— C'est autre chose, Tarass, qui nous confronte ici. Quelque chose que nous n'avons jamais vu, rencontré ou côtoyé avant. C'est toi, notre chef… TROUVE ! Je sens qu'il y a quelque chose de pas normal du tout et moi, je n'arrive pas à mettre le doigt dessus, alors c'est à toi de le trouver !

Tarass dévisagea Kayla. Il sentait, lui aussi, qu'autour de lui et de ses amis… L'AIR ÉTAIT MALSAIN ! TRÈS MALSAIN…

Trixx haussa les épaules. Il était inutile

de compter sur lui pour trouver une réponse. Tarass s'éloigna pour réfléchir. Il ferma les yeux et commença par puiser dans les profondeurs de ses pensées, puis alla plus loin. Beaucoup plus loin. Comme lorsqu'il s'était rendu dans la tanière des minotauzes pour aller chercher le bouclier de Magalu. Graduellement, il sentit des souvenirs remonter à la surface, des souvenirs qui n'étaient pas les siens… DES SOUVENIRS APPARTENANT À SES ANCÊTRES !

Il vit soudain des images. Des images de batailles et d'explosions gigantesques. Il pouvait voir dans sa tête des images de gens qui mouraient, tués tout simplement par l'air qu'ils respiraient. Il rouvrit les yeux. Un mot revenait sans cesse dans sa tête… RADIATION !

Il se retourna vers son amie la mage.

— KAYLA ! Je veux que tu dessines un mandala de détection !

Kayla, qui observait les grandes constructions au loin, ne se retourna pas, mais lui répondit par une question.

— Pourquoi ?

— C'est difficile à dire, c'est comme

une impression, ou plutôt, je sais que cela va te paraître ridicule, c'est comme un message de mes ancêtres que j'ai en moi.

Kayla se retourna vers son ami, l'air incrédule.

— Je te demande seulement de me faire confiance.

Elle soupira, puis plongea la main dans son sac placé en bandoulière. Elle en ressortit une petite craie ainsi qu'un bout de manuscrit.

Elle gribouilla un dessin, puis prononça une parole magique.

— GRA-FARU-LESA !

Partout autour d'eux se matérialisèrent aussitôt de petites particules, quasi microscopiques, à peine visibles à l'œil nu.

Les yeux écarquillés, Trixx était à la fois étonné et horrifié.

— Mais… qu'est-ce que c'est que ces dégueulasseries que nous respirons ? POUAH ! il y en a même qui collent à ma peau.

Trixx se trémoussa.

Kayla était si effrayée qu'elle bafouilla d'inquiétude.

— Et-et qu-qu'est-ce-ce que disait d'autre le message de tes an-ancêtres ?

— Il parlait d'explosions et de radiation. Quelque chose comme…

— DE RADIATION ! répéta Kayla d'un air très grave. NON ! C'EST LA GRANDE PESTE !

Elle plongea nerveusement sa main dans son sac pour en ressortir une petite feuille provenant d'un arbre.

— Mais qu'est-ce que tu vas faire avec cette feuille ? Fabriquer une tisane-contre-poison ?

Décontenancée, Kayla examina la petite feuille et remarqua qu'une partie du pétiole était rouge.

Elle laissa tomber sa tête sur son torse…

— QUOI ? s'écria Tarass. NOUS ALLONS MOURIR NOUS AUSSI ?

Elle releva la tête vers Tarass et Trixx.

— Cette radiation devrait être plutôt appelée cochonnerie du diable, rageait-elle. Pendant que nous parlons, en ce moment même, elle pénètre dans notre corps comme un poison, graduellement et irrévocablement.

— KAYLA, RÉPONDS À MA QUESTION ! répéta Tarass. ALLONS-NOUS MOURIR ?

Kayla empoigna la feuille par le pétiole et la porta devant les yeux de ses amis.

— Vous voyez cette feuille de bouleau de la forêt de Fagôre ? Elle est comme le baromètre de ma vie. Tous les mages en possèdent une.

Tarass et Trixx braquaient leurs yeux directement sur la feuille.

— Cette feuille, que j'ai arrachée d'un bouleau magique, possède la même vie et la même longévité que moi, commença à leur expliquer Kayla. Lorsque je mourrai, elle mourra elle aussi. Si je suis malade, elle a une petite tache. La partie rougie de la feuille, le pétiole, nous démontre qu'elle aussi, comme nous, a été empoisonnée par les radiations, ou comme les anciens l'appelaient, la grande peste. Plus nous demeurerons dans cette contrée, plus la feuille, progressivement, deviendra rouge. Je pense que si nous demeurons ici plus d'une journée, elle sera complètement rouge et pour nous, cela signifiera aussi qu'il sera trop tard. Nous serons, comme elle, complètement empoisonnés et... NOUS MOURRONS !

Tarass et Trixx la dévisagèrent en silence.

— Mais si nous parvenons à ressortir avant que la feuille soit complètement rouge, finit par lui demander Tarass, avons-nous une chance de survivre ?

— Oui ! s'il ne reste qu'une minuscule partie verte à la feuille, ne serait-ce que la pointe, nous serons sains et saufs. La grande peste est, heureusement pour nous, réversible. Après avoir quitté cette contrée, après quelques jours d'air pur, le poison quittera notre corps comme s'il n'avait jamais été en nous. Mais je le répète, nous devons quitter cette contrée avant que la feuille ne soit complètement rouge.

Tarass examina la petite feuille et, déjà, il nota une différence. La couleur rouge gagnait déjà la nervure principale et commençait de plus en plus à s'étaler. Il regarda derrière lui, puis devant, là où se trouvaient les grandes constructions.

— Tu crois que nous avons le temps de traverser toute la contrée ? lui demanda Trixx.

— Il n'est pas question de revenir en arrière pour rebrousser chemin ! lui répondit Tarass sur un ton déterminé. ALLEZ ! ON FONCE !

Les ruines du pont

Après les derniers arbres morts apparut une immense forêt de grands bâtiments délabrés juchés sur une grande île. L'étendue de terre était entourée d'une curieuse rivière qui dégageait une inexplicable lumière verte. Un pont métallique presque effondré allait jusqu'à l'autre rive.

— Tu crois qu'il nous faut absolument traverser cette ville fantôme ? s'informa Trixx. Parce qu'il vaudrait peut-être mieux la contourner pour éviter des rencontres avec d'autres objets vivants. Tu sais, ces trucs qui nous accueillent avec des clous ?

Tarass fit signe à Kayla qui lui montra

tout de suite la feuille de bouleau. Elle avait encore rougi.

— NON ! finit-il par répondre à son ami Trixx. Nous allons vers l'est et c'est le chemin le plus court. D'ailleurs, nous sommes un peu pressés par le temps.

Tarass arracha la feuille de la main de Kayla et la montra à Trixx.

Trixx soupira…

Tarass pointa ensuite le pont.

Sur le tablier de la grande construction, ils arrivèrent tous les trois devant une scène d'une grande désolation qui leur coupa le souffle.

— Apparemment, personne ne viendra pour nous accueillir, constata Trixx. C'est un chaos indescriptible qui règne en cet endroit…

Des centaines de gros objets à roues étaient empilés sur le pont. Plusieurs d'entre eux semblaient s'être brisés les uns sur les autres. Des milliers de flèches étaient plantées partout sur les objets et dans leurs roues. Une multitude de grosses roches, sans doute lancées par les catapultes des ograkks, gisaient un peu partout sur des débris de gros objets pulvérisés par l'impact.

Dans chacun des gros objets se trouvaient des cadavres. Trixx ravala bruyamment sa salive.

— Il faut qu'on m'explique, dit-il. Comment une civilisation si avancée peut-elle succomber à l'attaque d'une autre qui l'est beaucoup moins qu'elle ?

Kayla voulait comprendre elle aussi.

— Tant de morts ! s'étonna-t-elle, le visage empreint de tristesse.

— Les ograkks ont attaqué par surprise, c'est la seule explication, en déduisit Tarass. Je crois que les habitants ont péché par excès de confiance. Ils se croyaient à l'abri de tout envahisseur et ils en ont payé chèrement le prix. Leur « technologie » n'a pas été à la hauteur de la situation, ni à la hauteur de sa puissance.

Tarass enjamba un corps et entreprit de traverser le pont. La structure penchait dangereusement vers la gauche. Tous les trois s'agrippèrent à une rampe pour conserver l'équilibre.

Sous le pont, la rivière lumineuse coulait à grands flots. Sa surface était ponctuée de gros bouillons et des débris de toutes sortes dérivaient. Plus loin, elle contournait l'île et disparaissait vers le sud en direction de la mer.

Juste comme ils arrivaient à mi-chemin, un énorme réservoir transporté par les flots heurta de plein fouet le pylône principal du pont. Le choc fut d'une telle violence que le réservoir explosa. La déflagration fractura l'immense pylône de ciment, qui se scinda en trois.

La section supérieure tomba devant eux sur la dernière portion de la route et leur barra le chemin. La deuxième glissa vers les flots, en emportant avec elle plusieurs gros objets.

Devant, la partie de la route jusqu'à l'île chavira lentement. Des dizaines de gros objets tombèrent dans la rivière et dégagèrent de façon inespérée la voie.

— VOILÀ NOTRE CHANCE ! s'écria Tarass.

Il attrapa la main de Kayla puis fonça. Derrière lui s'élança aussi Trixx. De grandes plaques de ciment s'affaissèrent derrière eux. Le grondement assourdissant du pont qui s'écroulait sous leurs pas faisait battre très fort leur cœur. Poussés par le fracas à poursuivre leur course effrénée, ils s'enfoncèrent tous les trois profondément dans une grande rue déserte de la ville, loin de la rivière.

5

Ville abandonnée ?

Appuyé sur ses genoux, Tarass reprenait son souffle. Trixx était debout et s'essuyait le front avec le revers de la main.

Derrière eux, un grand nuage de fumée et de poussière s'élevait très haut dans le ciel.

— Alors maintenant, c'est officiel ! annonça Trixx. Nous ne pouvons plus retourner sur nos pas. Le pont n'existe plus. Tout droit nous allons et tout droit nous marcherons…

Après avoir repris son souffle, Kayla sortit la petite feuille de bouleau. La couleur rouge s'étendait un peu plus sur le vert.

Déçue, elle remit soigneusement la feuille dans son sac.

Tarass, qui la regardait, comprit lui aussi. Il baissa les yeux…

— Tu t'attendais à quoi, Kayla ? lui demanda-t-il. Une amélioration de notre situation ?

— Pourquoi pas ? lui répliqua-t-elle. Je croyais, enfin je me suis dit que peut-être cette partie de la contrée n'était pas atteinte de la grande peste, elle…

Tarass et Kayla arrêtèrent leur conversation lorsqu'ils aperçurent Trixx qui grimaçait. Caché devant son torse, son pouce bougeait discrètement pour indiquer une direction derrière lui, à sa gauche.

Tous les trois se retournèrent simultanément. À l'autre bout de la rue, un vieillard décrépit se tenait debout. Ses vêtements étaient en lambeaux.

Tarass se mit à l'examiner longuement.

— Tu crois qu'il s'agit d'un objet en forme d'homme ? demanda Trixx, la mâchoire crispée et les lèvres presque immobiles.

Kayla souleva ses épaules en signe d'ignorance.

Tarass jeta un regard curieux à ses amis, puis marcha en direction du vieil homme. Il avança avec précautions, prêt à dégainer son bouclier au besoin.

Le vieil homme fit un pas de recul, puis s'adressa à Tarass d'une voix chevrotante.

— Êtes-vous bien réel, jeune homme ? Êtes-vous bien réel ?

Tarass s'arrêta et comprit que l'homme avait plus peur que lui.

— Mon nom est Tarass, Tarass Krikom. Je suis bien un homme comme vous, monsieur. Vous n'avez rien à craindre de nous.

Le vieil homme ne semblait pas très rassuré.

— Êtes-vous seul dans cette ville, monsieur ? Y a-t-il quelqu'un d'autre avec vous ? demanda Kayla qui les rejoignit avec Trixx.

Le vieil homme ne répondit pas.

— Comment vous appelez-vous, monsieur ? lui demanda ensuite Trixx afin de gagner sa confiance.

Le vieil homme dévisagea Trixx, qui se sentit soudain mal à l'aise.

— Mais qu'est-ce que j'ai dit ? murmura-t-il dans l'oreille de Kayla en se retournant. Qu'est-ce que j'ai fait ? Il ne fallait pas que je lui demande son nom, quoi ?

— Ce n'est peut-être pas une coutume dans cette contrée, lui répondit Kayla tout bas.

— Non ! C'est seulement que personne ne m'a demandé mon nom depuis plusieurs lunes, des semaines à vrai dire. C'est un réel plaisir de vous répondre, jeune homme. Je m'appelle Victor.

Trixx salua le vieil homme.

— Moi je suis Trixx, Trixx Birtoum. Mes amis me surnomment Bleu, car j'ai les cheveux bleus et la peau un peu bleutée. Et voici Kayla Xiim.

— Enchanté, mademoiselle !

— Tout le plaisir est pour moi, monsieur.

— Il y a donc des semaines que vous êtes seul ? comprit Tarass. Mais où sont tous les autres habitants de votre ville ?

— Ont-ils tous été tués ? voulut savoir Kayla.

Le vieil homme prit une longue et profonde inspiration.

— Des milliers ont été tués par ces monstres à quatre bras, et des milliers d'autres…

Tarass se tourna vers ses amis.

— MONSTRES À QUATRE BRAS ! répéta Tarass.

— Les ograkks ! s'exclama Trixx. Voilà, c'est confirmé…

— Et les milliers d'autres ? Vous disiez qu'il y en avait d'autres ? insista Kayla.

— Ils ont été emportés de force afin d'être transformés en ignobles monstres à quatre bras, raconta Victor, très navré du triste sort réservé à ses concitoyens. C'est lors de rituels de sorcellerie exécutés par un puissant mage noir qu'ils subissent cette mutation. Ils finiront tous par devenir des monstres sans pitié et feront partie des armées de nos ennemis. Vous devez me croire, car j'ai vu de mes propres yeux ces transformations…

Trixx jeta un regard interrogatif vers Tarass.

— Un mage noir ? KHONTE KHAN !

— Peut-être ! espéra et craignit aussi Tarass.

— Il faut avouer que c'est génial

comme plan ! réfléchit Kayla. De cette façon, chaque contrée envahie est contrôlée par la suite par ses propres habitants transformés en ograkks. Khonte Khan peut avoir autant d'effectifs qu'il a d'adversaires. Si vous faites le calcul, il est mathématiquement impossible qu'il perde une seule bataille.

— Où se trouve le lieu où sont pratiquées ces transformations ? demanda Tarass au vieil homme.

— L'antre du mage noir est situé au nord de la ville, tout entouré de collines. C'est un abîme profond, tortueux et ténébreux protégé par des krâlors qui surveillent et dévorent tout ce qui n'a pas l'apparence d'un quatre bras.

— DES KRÂLORS ! Qu'est-ce qu'un krâlor ? questionna Trixx. Des espèces de bêtes sauvages et affamées ?

— Les petits animaux chéris du mage noir, répondit Victor. Ils sont les vidangeurs de l'antre, constitués de bouts de cadavres d'hommes réutilisés, en quelque sorte. Difformes, ils rampent sur le sol. Avec sa sorcellerie, le mage noir est parvenu à transformer les restes de

combattants démembrés en créatures répugnantes qui ressemblent vaguement à de grosses tortues. Sur le dos, elles portent des petites pierres et des touffes d'arbustes desséchés. Les krâlors sont très difficiles à apercevoir et ils se confondent au décor. Souvent, lorsque vous parvenez à les distinguer dans le paysage, il est déjà trop tard pour vous. S'ils parviennent à vous attraper, ils s'agglutinent à vous et aspirent votre énergie vitale. Le processus est extrêmement douloureux et peut prendre plusieurs sabliers. Le pire, c'est que vous êtes conscient tout au long du processus…
RÉPUGNANT !

Victor s'approcha de Tarass et posa sa main frêle et toute ridée sur son épaule.

— Mais il y a plus grave que les krâlors, lui dit le vieil homme. Vous avez assez perdu de temps comme ça, jeunes gens. Si vous demeurez ici plus d'une journée, vous serez condamnés à y rester toute votre vie.

Tarass campa son regard dans celui de Victor. Il ne saisissait pas ce que le vieil homme lui expliquait.

— Ce que tu veux nous faire comprendre, c'est que si nous restons plus d'une journée ici, nous allons mourir des effets des radiations, c'est cela ?

Kayla et Trixx s'approchèrent tous les deux. Cette situation les concernait aussi.

Victor poursuivit.

— NON ! Si vous restez ici plus de vingt-quatre sabliers, vous mourrez seulement si vous quittez la contrée. Après ces vingt-quatre sabliers, vous devrez demeurer ici, car vous aurez besoin, comme nous, des radiations pour survivre.

— Alors la morale de cette histoire, conclut Trixx, c'est que nous devons avoir quitté cette contrée de malheur avant le coucher du soleil si nous ne voulons pas demeurer ici à perpétuité, ou mourir…

— Exact ! répondit Victor.

Tarass et Trixx se sentaient tout à coup impuissants.

— Et cette radiation, lui demanda Kayla, elle émane d'où ?

— De la rivière verte ! lui confia Victor. Voilà pourquoi la ville a été construite sur l'île entre les deux bras de la rivière. Nous avons besoin de la proximité de ce cours d'eau contaminé pour vivre. Vous connaissez maintenant le terrible secret que cache la contrée des oubliés.

— La contrée des oubliés ? répéta Tarass. Ce n'est pas plutôt la contrée oubliée qu'il faut dire ?

— Non ! c'est une erreur qui s'est perpétuée depuis des siècles sur tout l'atoll. Je suis un habitant de la contrée des oubliés, je le sais. Nous avons construit des murs impénétrables, non pas pour nous protéger, mais pour vous protéger, vous, pour garder intactes les autres civilisations de l'atoll. Nous sommes les seuls responsables de nos malheurs parce que nous nous sommes joués de la nature. Nous devons être les seuls à en payer le prix, car ce n'est pas la faute des autres contrées…

— Ces marques de respect envers les autres civilisations vous honorent tous, habitants de la contrée des oubliés !

Tarass salua profondément Victor.

— Tu ne seras pas le dernier de ta race, vieil homme, lui dit-il avec conviction. Je t'en fais la promesse. Nous avons quelques sabliers à passer dans ta contrée et nous comptons bien les mettre à profit. Montre-nous le chemin qui conduit vers l'antre du mage noir…

6

Le chemin de l'antre

Dans une large rue encombrée de gros objets immobiles, ils progressaient tous les quatre en direction des collines au rythme un peu lent du vieil homme. Trixx gardait la tête bien droite devant lui pour éviter les regards mornes et lugubres des cadavres.

De son côté, ces morts faisaient plutôt rager Tarass. Voilà le bien triste sort qui attendait la plupart des habitants de l'atoll. À la vue de toutes les victimes de cette guerre insensée, il ne pouvait s'empêcher de faire le lien avec sa contrée à lui, et de penser à ses amis de Moritia, à ses parents aussi…

Tous ces gros objets immobiles qu'il y avait partout dans les rues de la ville attiraient la curiosité de Trixx.

— Mais dites-moi, Victor, demanda-t-il au vieil homme. J'ai remarqué qu'il y a des morts dans chacune de ces curieuses boîtes de métal munies de roues. Est-ce que ce sont de cercueils ou quoi ?

Victor hocha la tête en négation.

— Ce sont des automobiles ou des voitures, si vous préférez. Avec ces voitures, nous pouvions nous déplacer partout dans et hors de la ville. Vous n'avez pas d'autos ni de camions dans votre contrée ?

— Euh, non ! mais nous avons des charrettes, des chariots et des carrioles tirés par des bœufs et aussi des chevaux, lui expliqua Trixx.

Trixx s'approcha d'une voiture.

— Mais aucune de vos voitures, comme vous dites, ne possède de bête pour les tirer ? Comme c'est étrange…

Trixx se pencha devant la voiture pour l'examiner en détail.

— Il n'y a même pas d'amarres pour accrocher un attelage, constata-t-il.

— Parce qu'elle n'a point besoin d'un animal pour se mouvoir, lui révéla Victor.

Trixx contourna la voiture et en déduisit que pour la faire avancer, elle devait être poussée par quelque chose, ou quelqu'un de très costaud, il n'y avait pas d'autre façon. Enfin, c'est ce qu'il croyait.

— Qu'est-ce qui les fait avancer ? Vous avez des ogres qui les poussent ?

— Non ! Elles se déplacent grâce à un moteur caché à l'intérieur.

Victor parvint à ouvrir un capot et Trixx s'avança, curieux. Il vit un gros appareil graisseux et sale contourné par une multitude de câbles et de fils…

— Ah voilà ! Encore la magie de la technologie, s'exclama-t-il devant le vieil homme. Je trouve votre magie très très bizarre, il y a tout le temps un tas de cordes entremêlées.

— Non ! Ce n'est pas du tout de la magie, ce n'est qu'un moteur à explosion.

— EXPLOSION ! répéta Trixx en grimaçant.

Il sentit soudain une odeur plutôt désagréable arriver sous son nez. Il se pencha vers la voiture et huma le moteur…

— POUAH ! QU'EST-CE QUE ÇA PUE, CE TRUC !

Il s'écarta très vite…

— C'est une bien curieuse magie qu'ils pratiquent ici, Kayla, cria-t-il à son amie qui s'éloignait avec Tarass. Je préfère ta magie à la leur, car toi, tes mandalas ne puent pas au moins. Leur magie à eux dégage des effluves épouvantables.

Victor voulait poursuivre la conversation avec Trixx, mais il eût été beaucoup trop long de tout lui expliquer. Il reprit plutôt la route avec lui.

— Une magie qui pue, se répéta tout bas Trixx. J'aurai vraiment tout vu dans ce foutu périple…

Plus loin, Victor s'arrêta devant un immeuble où il se mit à contempler la vitrine. Derrière la grande plaque de verre craquelée, sale de poussière et de fumée, étaient empilées des espèces de boîtes argentées sur lesquelles étaient dessinées des images de légumes et de fruits. Victor se pourlécha les babines.

— Ah ! si je pouvais, rêvassa-t-il, comme hypnotisé. Il y a si longtemps que je n'ai mangé un repas consistant, un bon repas.

Le vieil homme était de toute évidence affamé.

— Mais Victor ! lui demanda Kayla qui ne comprenait pas. Qu'est-ce qui vous empêche de vous servir, là ?

Le vieil homme se tourna vers elle…

— Mais ces victuailles ne m'appartiennent pas ! dit-il vexé. Je ne suis pas un voleur ! Je n'ai pas d'argent pour me les payer…

Puis, il fixa de nouveau avec envie les boîtes argentées.

Kayla et Trixx se regardaient, découragés. Il était clair qu'ils trouvaient tous les deux un peu excessive l'honnêteté du vieil homme.

— Et puis d'ailleurs, nous n'avons pas la clé pour ouvrir ce commerce, ajouta-t-il bien innocemment…

C'en était trop pour Trixx.

— C'est complètement faux, s'exclama-t-il devant Victor qui ne comprenait pas.

Il dégaina son épée et, d'un coup, il fracassa la vitrine qui vola en éclats.

Kayla souriait, mais Victor, lui, était plutôt perturbé. Il observait, bouche bée,

Trixx qui rangeait son arme dans son fourreau.

— Vous ne vous en faites pas là, hein !
Si quelqu'un vous fait la moindre répri-
mande, vous me l'envoyez, ou vous lui
demandez de me faire parvenir une quit-
tance ou les frais pour les réparations. Mon
nom est Trixx Birtoum et j'habite à Moritia
dans la contrée de Lagomias, au 2425, chemin de Komoipikomsoutchaille. Vous avez
noté ?

Victor acquiesça, puis tendit les deux
mains pour ramasser toute la nourriture
qu'il pouvait transporter.

Tarass, qui ne s'était pas encore arrêté,
se retourna et constata qu'il était très loin
devant eux.

— HÉ ! HO ! VOUS AVEZ FINI DE
VOUS AMUSER ? VOUS SAVEZ QUE
LE TEMPS PRESSE ET QUE NOUS
N'AVONS PAS TOUTE LA JOURNÉE !

Autour du groupe, les grands édifices
se faisaient maintenant plus rares. Ils arrivaient de toute évidence en bordure de la
ville.

Derrière Kayla, Victor traînait, ralenti

par le grand sac de victuailles qu'il portait. Elle avait tenté en vain de faire comprendre au vieil homme qu'il était inutile d'en apporter autant, mais le fait d'avoir manqué de nourriture le poussait à l'excès et c'était un peu normal.

Sur un petit pont qui surplombait la rivière lumineuse, Tarass tendit son bras au-dessus du vide et écarta les doigts. Il parvenait à sentir les émanations de radiation émises par le cours d'eau.

Pas très loin derrière lui arriva en marchant très vite Victor, qui s'arrêta soudain. Le vieil homme se pencha ensuite au-dessus de la rampe et prit une grande inspiration. Il aspira une bonne rasade d'air contaminée qui le fit frissonner.

Tarass, Trixx et Kayla l'observaient. Ils étaient à la fois déconcertés et tristes.

De l'autre côté de la rive, ils ne trouvèrent ni rue ni route. Victor pointa au loin plusieurs collines, curieusement groupées en cercles, d'où émanait de la fumée. C'était là-bas que l'antre du mage noir se trouvait.

— Vous n'êtes plus qu'à un sablier ou

deux de marche, leur dit-il en souriant de sa bouche édentée.

Tarass le remercia pour son aide précieuse.

— Avant la tombée de la nuit, tu ne seras plus seul, vieil homme, lui promit Trixx. Il y en aura d'autres avec toi, nous t'en faisons la promesse.

Victor aurait bien aimé exprimer toute sa joie, mais il feignit devant Trixx de s'en réjouir. Il savait que cette tentative de libérer les prisonniers était vouée à la catastrophe. Oui ! il le savait, car il avait déjà visité ce lieu maudit. Il avait été, comme tous les autres, capturé lui aussi. Le mage l'avait laissé partir parce qu'il était beaucoup trop âgé pour faire un bon ograkks…

Kayla se tourna vers les collines.

— Aussi, vous n'aurez plus rien à craindre de cet antre maudit. Nous le détruirons ainsi que tous les ograkks qui s'y trouvent, promit-elle à son tour…

Le vieil homme les salua profondément et ils partirent tous les trois…

Les krâlors

Près d'une pierre plate, Kayla s'assit et vida son sac. Plusieurs parchemins glissèrent sur la roche, ainsi que ses précieuses craies magiques. L'une d'elles roula et tomba par terre. Tarass se pencha et la ramassa.

Il eût été plus simple pour lui de la déposer sur la roche, mais il préféra lui remettre le bout de calcaire dans sa main. Kayla tendit la sienne vers lui. Lentement, comme si le temps venait de tomber en mode ralenti, Tarass déposa le petit bout de craie dans sa main toute fine et délicate. Le bout de ses doigts toucha la paume douce de la main de Kayla.

Trixx se sentit tout à coup très bizarre. Il avait l'étrange impression qu'il ne devrait pas se trouver là, près de Tarass et de Kayla. Qu'il devrait être ailleurs, en fait…

Kayla aussi se sentait mal à l'aise. Maladroitement, elle ouvrit son petit grimoire de sortilèges à une page au hasard et se mit, d'un air faussement préoccupé, à chercher.

— Tu vas préparer quelques-uns de tes meilleurs et plus efficaces mandalas, Kayla ? lui demanda Tarass. Nous en aurons grandement besoin dans notre quête, contre… euh ! le mal…

Trixx leva les yeux vers le ciel en signe de découragement. De toute évidence, Tarass cherchait la conversation.

— Oui, et moi je vais marcher là, et puis là-bas, ensuite je vais respirer un peu, lança Trixx pour se moquer. Je suis capable d'en dire moi aussi des futilités…

Tarass sentit soudain qu'il avait l'air complètement idiot.

— Et je vais lever mon bras comme cela, pour rien, continua Trixx.

Il s'arrêta soudain lorsque, de façon

totalement fortuite, il aperçut une dizaine de grosses bosses sur le sol qui, curieusement, avançaient dans leur direction.

Il fit quelques pas devant lui, puis s'arrêta. Ses yeux s'agrandirent de frayeur lorsqu'il constata qu'un groupe de vidangeurs de l'antre s'amenaient.

— DES KRÂLORS ! hurla-t-il pour déclencher un branle-bas. DES KRÂLORS !

Tarass dégaina son bouclier et bondit près de son ami. Malgré leur forme qui rappelait celle de lentes tortues, les krâlors progressaient rapidement. Kayla ramassa ses effets puis se joignit à ses amis, prête à combattre…

Tout autour d'eux, les krâlors augmentaient en nombre. Il y en avait maintenant plus d'une centaine.

— Il y a quelqu'un qui a très mal fait son travail, se plaignit Trixx. Oh, que oui !

Trixx songeait aux explications de Victor qui avait, de toute évidence, omis de mentionner le nombre élevé de ces créatures…

D'autres krâlors s'extirpèrent du sol partout autour de Tarass, Kayla et Trixx.

Maintenant, il y en avait même derrière eux.

— NON ! ce n'est pas possible ! réalisa avec horreur Kayla… ILS SONT TOUTE UNE ARMÉE !

Trixx fulminait.

— Si jamais nous sortons vivants de cette impasse, rappelez-moi de botter le derrière d'un certain vieux monsieur…

Les krâlors convergeaient maintenant en très grand nombre vers eux. Tarass regardait de tous les côtés de son bouclier de Magalu placé devant lui. Il savait que s'ils attendaient trop longtemps, ils seraient tous les trois pris au piège et complètement entourés sans aucune possibilité de fuir. Il fallait donc agir, et agir tout de suite.

Il hurla à tue-tête.

— ALLEZ ! ON FONCE !

Et il se précipita en direction des collines.

Kayla et Trixx suivaient derrière.

Devant eux arriva le premier krâlor. Lorsqu'ils parvinrent à sa hauteur, la créature répugnante s'ouvrit complètement en deux, juste devant eux. Un tentacule gluant muni d'une grosse ventouse sortit du corps et se dressa comme un serpent prêt à rabattre ses crocs mortels. Trixx fit tournoyer son épée au-dessus de sa tête et coupa l'appendice. Un effroyable cri retentit et un liquide jaunâtre bouillonnant se répandit sur le sol.

Par crainte d'être empoisonnés ou agglutinés dans cette matière dégoûtante, ils contournèrent tous les trois la flaque dangereuse avec d'infimes précautions.

Plusieurs krâlors rampaient maintenant tout près d'eux, trois par la gauche et encore plus par la droite. Trixx et Kayla reculèrent pour permettre à Tarass d'asséner un coup de son bouclier. Ce dernier souleva son arme le plus loin possible au-dessus de sa tête et frappa la première créature avec la même vigueur avec laquelle on frappe un tronc d'arbre à l'aide d'une hache.

Son arme s'engouffra dans le corps solide et rigide du krâlor comme s'il ne s'agissait que d'une grosse citrouille. Un deuxième krâlor étendit son tentacule répugnant et parvint à saisir sa jambe. Tarass gesticulait de terreur…

Aussitôt le contact établi entre la ventouse et le corps de Tarass, un bruit sourd de succion se fit entendre.

Tarass sentit aussitôt ses yeux qui s'enfonçaient dans les orbites de son crâne. La douleur devint très vite insoutenable.

Kayla sauta à pieds joints sur le dos d'un krâlor et gambada sur plusieurs autres afin de rejoindre Tarass. Arrivée près de lui, elle lécha le dos d'un parchemin et le colla ensuite sur le corps du krâlor qui était parvenu à attraper son ami.

— ROGA-TRA-MIRK ! cria-t-elle aussitôt.

Le krâlor lâcha prise et fut très rapidement victime de convulsons fulgurantes.

— ATTRAPE TON BOUCLIER ! cria Kayla à Tarass, qui était revenu à lui. ALLEZ, GROUILLE !

Tarass ramassa son arme. Devant lui, la créature frappée par le sortilège était toujours prise de violentes agitations.

— ÉCARTE-TOI D'EUX ! hurla encore Kayla à son ami. SINON, TU VAS SUBIR LE MÊME SORT !

Le corps du krâlor devint soudain transparent comme du verre et froid comme de la glace. Puis, dans un bouillonnement intense, il se liquéfia comme de l'eau sous le regard ahuri de Tarass. Il ne resta au sol qu'une traînée d'éclaboussures fluorescentes.

Les autres krâlors autour de lui arrivèrent, tentacules dressés dans sa direction. Tarass frappa le sol devant lui avec son bouclier et une fissure s'ouvrit aussitôt. La fissure devint vite crevasse et engouffra les krâlors les uns après les autres.

Lorsque Tarass leva son pouce en direction de Kayla pour exprimer sa gratitude, il constata avec terreur que Trixx était complètement entouré et sur le point d'être aggluciné par plusieurs tentacules.

Voyant qu'il ne pouvait absolument rien faire pour aider son ami, il s'écria…

— KAYLA ! FAIS QUELQUE CHOSE !

Kayla se retourna et vit Trixx qui se débattait très farouchement contre plusieurs créatures. Elle plongea illico sa main dans son sac pour en ressortir un mandala de plume et pierre. Sans tarder, elle chiffonna le parchemin et appela son ami.

— BLEU ! BLEEEUU !

Trixx trancha trois tentacules d'un seul coup d'épée puis se retourna vers elle.

— ATTRAPE !

Avec une facilité déconcertante, il saisit au vol la boule de papier de la main gauche, et décapita un autre krâlor avec sa lourde épée qu'il tenait dans la main droite.

Tarass regardait avec émerveillement son ami. Lui qui, il y a quelques mois à peine, ne connaissait absolument rien sur le maniement des armes. Les multiples batailles vécues ensemble avaient vraiment porté leurs fruits.

Trixx réclama des instructions à Kayla.

— JE FAIS QUOI AVEC TON MANDALA ? JE LE JETTE AU MILIEU DES KRÂLORS ?

— NON ! s'empressa-t-elle de lui répondre. IL EST POUR TOI !

Trixx décapita un autre krâlor puis regarda Kayla droit dans les yeux.

— POUR MOI ! s'étonna-t-il.

— C'EST UN MANDALA DE PLUME ET PIERRE !

Trixx jeta un regard inquiet dans la direction de son amie.

— MAIS JE NE VEUX PAS M'ENVOLER COMME UNE PLUME ET RETOMBER LOURDEMENT SUR LE

SOL COMME UNE PIERRE ! NON ! JE
VAIS ME CASSER LA GUEULE !

— FAIS-MOI CONFIANCE !

Kayla prononça l'incantation :

— XINO-ZAA-RIMA !

Soudain, le corps de Trixx fut parcouru
de petits éclairs roses. Malgré le fait qu'il
se sentait très étrange, rien ne se produisit.
Tarass remarqua la même chose…

— Mais Kayla, pourquoi rien ne se
produit ? s'enquit-il. Ton mandala n'a pas
fonctionné. Pourquoi ?

— Parce qu'il n'y a pas le moindre
vent ! lui répondit-elle.

Kayla prit une très grande inspiration et
souffla ensuite dans la direction de Trixx.

Envoûté par le mandala, Trixx était
aussi léger qu'une plume. Il s'envola et
virevolta dans les airs pendant quelques
grains de sable du sablier, puis retomba
finalement sur le sol, plus loin, derrière les
krâlors.

Tarass se fraya un chemin jusqu'à lui en
frappant avec une violence inouïe les créatures sur sa route.

Derrière lui, Kayla bondit encore une
fois d'un dos de krâlor à un autre avec une

agilité déconcertante. Lorsqu'elle fut arrivée à leur hauteur, Tarass et Trixx brandirent leurs armes, prêts à combattre de nouveau avec l'énergie du désespoir.

Des dizaines de krâlors avançaient toujours. En quelques mouvements rapides, Trixx fit rendre l'âme à huit créatures. Mais d'autres arrivaient par vagues redoutables. Ils déferlèrent sur eux, tentacules dressés.

Le cœur de Kayla se serra dans sa poitrine.

Complètement dépassé par l'insistance des créatures, Tarass, dans un ultime effort, planta son bouclier dans le sol et parvint à créer une crevasse protectrice tout autour d'eux. Les krâlors tombèrent par dizaines dans l'abîme en poussant des gémissements rauques.

Mais la stratégie de Tarass n'avait fait que retarder momentanément les créatures. Plus intelligentes qu'elles ne le paraissaient, plusieurs d'entre elles se jetèrent volontairement dans la crevasse, exactement au même endroit, dans le but d'emplir cette partie du trou pour ainsi créer un pont pour les autres.

Tous les trois regardèrent, stupéfiés de frayeur, les krâlors.

La situation était désespérée. Épouvantée par cette scène cauchemardesque, Kayla réalisa que si elle ne trouvait pas une solution, TRÈS VITE, ce serait ici même, tout de suite, dans cet endroit maudit, que se terminerait abruptement leur quête.

En équilibre précaire derrière ses deux amis qui combattaient courageusement, elle consulta son grimoire.

— Un seul sortilège pourrait nous tirer d'embarras, réfléchit-elle. Le mandala de dédoublement. JE SAIS ! s'écria-t-elle soudain. Je sais ce que je dois faire. Je vais créer une diversion pour nous débarrasser provisoirement de ces répugnants krâlors.

— EH BIEN ! QU'EST-CE QUE TU ATTENDS ? s'impatienta Trixx. VAS-Y ! ÇA PRESSE !

— Cependant, j'ai besoin d'un peu de vos cheveux et de votre salive.

Tarass et Trixx se tournèrent vers elle.

Trixx donna un coup d'épée et décapita un autre krâlor.

— Tu es sérieuse là ? lui demanda Tarass.

— OUI !

N'ayant pas le choix, ils acceptèrent tous les deux.

Avec l'épée de Trixx, elle coupa une mèche de ses cheveux, et ensuite à chacun de ses amis. Puis, elle plaça les touffes dans un parchemin. Ensuite, tous les trois, un à la suite de l'autre, crachèrent sur l'amas de cheveux. Les composants de l'étrange sortilège réunis, elle forma une boule.

Très loin, derrière les krâlors, elle lança cette boule et hurla son sortilège…

— MOZZ-GRA-TULUM !

Tarass sentit des centaines d'aiguilles qui le piquaient partout sur son corps. Près de lui, Trixx se grattait farouchement. Kayla, elle, demeurait immobile. Elle avait utilisé si souvent ce sortilège que les picotements désagréables étaient devenus pour elle une habitude.

Le sortilège fonctionnait, car leur corps disparaissait graduellement. Le fait de devenir de plus en plus transparent faisait sourire Tarass et Trixx. Ils trouvaient la situation très amusante jusqu'à ce qu'ils aperçoivent, à quelques mètres d'eux, là où était tombée la boule chiffonnée du parchemin, une image d'eux-mêmes. Une image d'eux-mêmes qui se formait graduellement.

Leur corps devenu complètement invisible n'intéressa plus les krâlors. Toutes les créatures se dirigèrent donc bêtement en direction des images des corps reconstitués de Tarass, Kayla et Trixx. Ils étaient des centaines qui, frénétiques, se regroupèrent vers elles.

LA DIVERSION AVAIT RÉUSSI ! Tarass, Kayla et Trixx s'éclipsèrent tous les trois en direction des collines.

8

Jambe, où es-tu ?

Trixx piqua une de ses fameuses colères infantiles.

— NON MAIS, SÉRIEUSEMENT ! s'emporta-t-il. Il y a plus d'un demi-sablier que vous avez tous les deux complètement retrouvé votre apparence normale. Moi, non ! IL ME MANQUE TOUJOURS UNE JAMBE !

Avec sa main, il montra à Kayla sa jambe droite qui, contrairement au reste de son corps, était toujours invisible.

— Calme-toi, Bleu ! le supplia-t-elle. Ce sont des choses qui peuvent arriver, quelquefois. La magie de l'opacité n'est pas une magie précise et rigoureuse. Il se peut que de temps à autre il arrive un pépin.

— UN PÉPIN !

Tarass riait presque aux éclats.

Trixx s'emporta encore plus.

— OU HOU ! IL ME MANQUE UNE JAMBE ! Ce n'est pas un ridicule et insignifiant petit pépin, ça… C'est un problème de la taille d'une noix de coco !

— Mais Bleu, ta jambe est là, à sa place. C'est juste un peu moche que tu ne puisses pas la voir encore, tant que le sortilège n'est pas complètement résorbé…

Mais aucune parole ne semblait pouvoir calmer le pauvre Trixx.

— Et veux-tu me dire pourquoi il a fallu que ça m'arrive à moi et pas à vous ?

— Parce que toi, Bleu, tu es le plus grand chialeur de tout l'atoll, lui avoua Kayla finalement et avec le plus grand plaisir. Si jamais sur l'atoll de Zoombira il y a un grand gala de scrogneugneux, tu remporteras à coup sûr la palme de la chialerie…

Trixx encaissa le coup puis s'exclama, tel un grand acteur de théâtre :

— Ah ouais ! la palme de la chialerie de l'atoll de Zoombira ? Et bien, j'accepte ce prix avec plaisir, et je tiens à remercier Kayla Xiim, mon EX-AMIE ! Sans elle et sa foutue magie des mandalas, je ne serais pas ici ce soir pour accepter cet honneur.

Kayla ne le trouvait pas drôle.

— T'en fais pas ! répéta Tarass.

Son visage exprimait la banalité de la situation.

— Ça va passer…

— Ça va passer ! Ça va passer ! marmonna Trixx en se dirigeant vers les collines. Non mais, il est évident que vous n'avez jamais essayé de marcher avec une seule de vos jambes visible, vous…

N'est pas légende

Devant les trois amis, le sol s'assombrissait et devenait de plus en plus noir à chacun de leurs pas. Au loin, ils pouvaient très bien voir la large colonne de fumée qui s'élevait dans le ciel entre les collines. La fumée s'accumulait dans le ciel et formait une masse impénétrable qui cachait complètement le soleil.

En rase campagne, Tarass remarqua tout de suite que les collines n'étaient pas d'origine naturelle, car elles entouraient comme une couronne le trou gigantesque dans le sol. Il s'agissait donc en fait des amoncellements de terre provenant de l'excavation de l'antre.

— FOUTUS MANDALAS ! se plaignait encore Trixx.

Pour se rassurer, il tâtait avec sa main droite sa jambe. Elle était là, mais malheureusement toujours complètement transparente.

Les gestes d'impatience de Trixx amusaient Tarass…

— FOUTUS MANDALAS ! FOUTUE JAMBE !

Un vent léger et sporadique s'éleva et leur envoya en plein visage d'insupportables mélanges d'odeurs. Bien que ces effluves forcèrent Tarass et Trixx à porter leur main à leur nez, Kayla, au contraire, les humait et les considérait. Bien que sa science en magie des mandalas ne requérait aucune utilisation de substance, son expertise de mage lui permettait d'en reconnaître plusieurs.

Elle s'arrêta. Concentrée, elle fixa le sol à ses pieds et inspira fortement.

— Soufre, sang brûlé, sable vert de Drakmor… et poudre d'os humains bouillis…

Elle leva la tête.

— DE L'ALCHIMIE ! s'exclama-t-elle en levant la tête vers les collines. Le mage noir se sert de l'alchimie des premiers hommes…

Tarass et Trixx la fixaient avec une certaine incompréhension.

Kayla leur expliqua en quoi elle consistait.

— C'est une science occulte insignifiante et chimérique du premier âge qui mêle les techniques chimiques à des spéculations d'ordre ésotérique et à de la magie, leur dit-elle. Les alchimistes, comme on les appelait, recherchaient notamment à obtenir la pierre philosophale, une substance à la consistance de la cire. D'après certaines légendes, elle avait le pouvoir, lorsqu'elle était bouillie, de transmuer les roches que l'on y trempait en grosses pépites d'or.

— Une pierre philosophale ? répéta Trixx. Qui peut faire quoi ?

— Transformer n'importe quel caillou, aussi banal qu'il puisse être, en or précieux, répéta avec plus de précision et de conviction Kayla.

Le regard de Tarass alla de Trixx vers Kayla.

— Tu crois qu'ils ont finalement trouvé cette pierre légendaire ? lui demanda-t-il.

Kayla hocha lentement la tête de haut en bas avec consternation.

— Ma tante Marabus s'est trompée. Elle qui croyait que les alchimistes n'étaient qu'une vulgaire bande de charlatans fous sans aucune espèce de pouvoirs. La légende de la pierre philosophale se vérifie. Khan l'a indéniablement trouvée et il ne s'en sert pas pour s'enrichir d'un formidable trésor…

Kayla tourna la tête vers l'antre.

Les yeux de Tarass s'agrandirent. Il venait lui aussi de comprendre.

— C'EST AVEC CETTE SUBSTANCE MAGIQUE QUE KHONTE KHAN TRANSFORME LES HUMAINS EN OGGRAKS ! s'écria-t-il.

— TOC ! tu as tout saisi, lui dit son amie Kayla. Khan a fait la somme de toutes les magies et sorcelleries du monde pour créer la sienne.

— Qu'est-ce que l'or, pour celui qui désire régner sur tout Zoombira ? réfléchit Tarass. RIEN ! Il n'est qu'un vulgaire grain de sable, comparé à l'atoll.

— Vous croyez qu'il a aussi maîtrisé l'art de la magie des mandalas ? espéra se tromper Trixx.

— Mon très cher Bleu, lui répond Kayla, le regard désolé.

Elle posa sa main sur l'épaule de son ami.

— Si ce fou est parvenu à faire de cette insignifiante et ridicule alchimie une magie aussi redoutable, nous ne pouvons que craindre le pire…

Devant ses deux amis pantois, Tarass souriait à belles dents.

— MAIS QU'EST-CE QUE TU AS ? POURQUOI RIS-TU ? le questionna Trixx. Nous sommes dans le crottin de cheval jusqu'à notre lèvre inférieure et toi, tu trouves le moyen de rigoler ?

Kayla semblait, elle aussi, confondue.

— Mais vous ne réalisez pas la chance que nous avons, leur répondit Tarass. Si nous parvenons à détruire cette pierre philosophale, Khan ne pourra plus transformer les humains en ograkks et renflouer ses armées.

Le visage de ses amis s'illumina aussi.

Trixx se tourna vers Kayla.

— Tu crois que c'est possible ? Tu penses que nous pouvons détruire cette mixture maudite ?

Kayla cherchait dans sa tête.

— Le peu que je me rappelle sur l'alchimie, c'est que, toujours selon la légende, cette pierre philosophale, cette substance plutôt, doit être préparée à partir de la recette antérieure, vieille de millions d'années. Il doit toujours rester dans la marmite une portion de la mixture antérieure pour que la nouvelle mixture produise l'effet magique escompté.

— Donc, en déduisit Tarass, si nous vidons complètement la marmite, par exemple tout bonnement par terre, le mage noir ne pourra plus jamais concocter de pierre philosophale.

— ATTENTION ! Comme la légende le dit, il faut absolument une portion, même minuscule, pour en mijoter une plus importante. Le mage n'aura qu'à ramasser une toute petite goutte par terre pour préparer une autre ration et ainsi perpétuer l'effet de la pierre philosophale.

— Alors, demanda Tarass en espérant une solution de son amie, qu'est-ce que tu proposes ?

— Malgré sa triste réputation, l'alchimie est une science assez capricieuse. Les quantités doivent être rigoureusement respectées, sinon la mixture perdra toutes ses propriétés magiques et sera complètement inefficace. Pour la neutraliser à tout jamais, nous n'aurons qu'à ajouter un ingrédient dans la marmite et le tour sera joué.

— Comme quoi ? Quel ingrédient allons-nous utiliser ? voulut savoir Trixx.

— N'importe quoi ! lui répondit Kayla. Au pire, cracher dans la marmite serait même suffisant.

Trixx s'emballa.

— Moi, je me porte volontaire pour uriner dans la mixture de la pierre philosophale, proposa-t-il fièrement et sans retenue.

Kayla poussa un soupir de honte.

— Pas besoin d'être grossier, tu sais !

Trixx la dévisagea.

— Si tu crois que je vais me gêner devant ces meurtriers ! s'emporta-t-il. Ils ont tué des milliers de personnes à ce jour. Ces monstres ne méritent pas qu'on les respecte. Conduisez-moi devant cette fameuse marmite et c'en sera fini assez vite de cette magie de l'alchimie.

Tarass ferma les yeux. Pour lui, la discussion avait assez duré.

— Bon, allons-y…

Kayla plongea la main dans son sac et sortit la petite feuille de bouleau. Elle était maintenant encore plus rouge.

Tarass et Trixx le remarquèrent eux aussi. Le temps pressait.

— Libérer les prisonniers du mage ! Détruire la pierre philosophale ! Quitter cette contrée de malheur ! Je ne sais pas si vous avez remarqué, les amis, exprima Trixx, mais moins il nous reste du temps dans cette contrée, plus nous avons de choses à faire.

Kayla hocha la tête et rangea la petite feuille.

Tarass ouvrit soudain grand les yeux et pointa le sol devant Trixx.

— LÀ ! s'écria-t-il ensuite.

Son ami sursauta.

— EH ! QUOI, LÀ ? QU'EST-CE QUE J'AI ?

— OH ! s'exclama Kayla qui venait aussi de s'en apercevoir. Ta jambe est à nouveau visible, Trixx…

L'entrée de l'antre

Kayla, Trixx et Tarass rampaient furtivement comme des lézards sur la pente douce de la colline. Au sommet, près de l'ouverture de l'antre, la forte concentration des mélanges d'odeurs âcres et fétides les incommodait. Tarass leva un peu la tête au sommet de la colline, jusqu'à la hauteur de ses yeux. Il examina l'ouverture à la recherche d'une façon de s'y introduire.

Devant lui, il remarqua que le trou était parfaitement circulaire et devait avoir une circonférence de plusieurs centaines de mètres. À l'intérieur, il pouvait voir un enchevêtrement complexe de passerelles et d'escaliers grossièrement taillés dans des troncs d'arbre. Ces structures étaient malheureusement inaccessibles et accéder à l'antre n'allait pas être une mince tâche.

Des profondeurs provenaient des chuchotements inquiétants.

Trixx glissa à côté de Tarass.

— On dirait presque l'entrée d'un nid de fourmis, géantes bien sûr ! commenta son ami.

Kayla étira le cou à son tour pour voir.

— OUAIP ! Si on pouvait écraser les ograkks avec le bout de notre pied, ce serait parfait...

— Trop facile ! souhaita aussi Tarass.

— Dans les grandes épreuves résident les grandes gloires, soupira Trixx.

Tarass et Kayla se tournèrent en même temps vers leur ami.

— À quel grand sage appartient cette citation ? voulait savoir Kayla. Drahcir Titep ? Yspuop ? Emadam Ihsus ? Orac ?

— C'est de moi ! répondit Trixx, sans attacher trop d'importance à la sagesse de ses paroles...

— Alors que tantôt tu as parlé d'uriner

dans une marmite, lui dit Kayla. C'est difficile de croire que de la même bouche peut sortir quelque chose de si profondément touchant, s'étonna-t-elle, franchement épatée.

— Bah ! il faut être polyvalent dans la vie. Ceux qui ne changent pas vivent cent ans, ceux qui s'adaptent vivent mille ans.

Tarass et Kayla se dévisagèrent tous les deux de nouveau, subjugués.

Le visage de Kayla s'illumina tout à coup.

— OH LÀ ! OUI ! je viens de comprendre.

Elle s'élança, puis asséna un coup de poing sur l'épaule de Trixx.

— AÏE ! s'écria-t-il.

Il se frotta frénétiquement l'épaule pour calmer la douleur.

— ESPÈCE DE FOLLE !

Tarass planta son regard dans celui de Kayla.

— Mais pourquoi as-tu fait cela ? lui demanda-t-il avec fermeté.

— CET IDIOT DE MORPHOM SE MOQUE DE NOUS !

— Mais qu'est-ce que tu racontes ?

— IL S'EST MÉTAMORPHOSÉ EN GRAND SAGE POUR NOUS IMPRESSIONNER ! VOILÀ COMMENT IL A FAIT POUR S'EXPRIMER DE FAÇON SI SONGÉE !

Tarass se tourna vers son ami.

— Tu crois vraiment que nous avons le temps de déconner ?

À côté de lui, Trixx se fit tout petit et serra les dents pour cacher un sourire.

Irrité, Tarass ferma les yeux et hocha la tête d'incompréhension.

De l'antre, une cacophonie de grincements résonna soudain. Tous les trois levèrent la tête en direction du grand trou. À l'extrémité d'une très haute grue, une grande poulie, immobile quelques instants plus tôt, tournait. Au bout d'un gros câble, une grande cage occupée par une horde d'ograkks bien armés s'élevait.

— Tiens ! Tiens ! s'exclama Kayla. Il suffit de parler des loups pour qu'ils apparaissent. Vous allez vous adonner à votre activité préférée, bande de salopards : tuer des innocents, des femmes, des enfants. MASSACRER ! DÉTRUIRE ! BRÛLER DES VILLAGES !

La cage s'arrêta au niveau du sol et les ograkks sortirent au pas de course comme s'ils allaient remplir une mission.

Le visage de Tarass devint rouge. Une grande colère montait en lui. Il se leva et se précipita vers les ograkks.

Trixx voulut le retenir.

— NON ! ILS VONT DONNER L'ALERTE AUX AUTRES !

Mais il était trop tard.

Tarass enjamba son ami et plaça son bouclier devant lui.

— MERDE D'OGRAKKS ! s'écria Trixx.

Kayla fouilla nerveusement dans son sac.

— NON MAIS, EST-CE QUE C'EST TON THÈME DE LA JOURNÉE, LES EXCRÉMENTS ? TU ME FATIGUES VRAIMENT AVEC CELA ! ET PUIS TOI, TARASS…

Tarass était déjà bien loin devant ses deux amis et il fonçait, décidé, vers ses ennemis jurés…

— TU NOUS PRÉVIENS LA PRO-CHAINE FOIS QUE TU AS UN PLAN !

Trixx bondit à son tour sur ses jambes,

et après avoir dégainé son épée bleue, il s'élança derrière son ami. Les pieds de Tarass frappaient le sol brutalement. Un ograkks alerté par le bruit grommela son charabia aux autres. La horde en mouvement changea rapidement de cap et fonça vers Tarass et Trixx. Derrière eux, Kayla courait le plus vite qu'elle pouvait. Elle ferma son sac et prit le parchemin qu'elle tenait dans sa bouche.

Tarass arriva dans les ograkks comme un gros boulet de canon. Son bouclier frappa la lance du premier ograkks et la brisa en deux. L'arme de Tarass percuta ensuite avec une violence inouïe la tête de l'ograkks qui s'affaissa sur le sol, mort, le cou brisé.

L'épée de Trixx traça un grand cercle au-dessus de sa tête et décapita deux ograkks. Leur sang éclaboussa son visage.

Il retint un « pouah ! » pour esquiver l'épée rouillée d'un troisième qui tentait de l'embrocher. Tarass coupa l'arme de fer de l'ograkks comme s'il ne s'agissait que d'une vulgaire branche d'arbre. Trixx tourna sur lui-même à très grande vitesse et exécuta un tour complet avec son corps.

L'ograkks confus ne comprit pas la manœuvre de son adversaire. Il ne se sentit cependant pas très bien. L'ograkks pencha la tête et vit apparaître, à la hauteur de sa taille, une mince ligne rouge… ROUGE SANG ! Trixx venait, littéralement, de le trancher de façon foudroyante en deux.

La partie supérieure du corps de l'ograkks se sépara de la partie inférieure et tomba sur le sol dans un dégoûtant fracas.

Tarass jeta un regard impressionné vers son ami qui, lui, arborait une mine ennuyée. Orgueilleux, mais tout de même fier, Trixx souleva les épaules pour signifier la banalité de sa manœuvre.

Tout autour de Tarass, cinq longues épées apparurent simultanément et pointèrent son torse. Tarass exécuta une vrille et se laissa choir sur le sol. Repoussées par son bouclier, les épées se plantèrent dans les torses des ograkks qui les tenaient. Les cinq créatures s'effondrèrent de façon bien synchronisée sur le sol. Fier de son coup, Tarass leva ensuite les yeux vers son ami, qui bâillait devant lui.

Devant les prouesses de leurs ennemis, les autres ograkks fulminaient. Ils se rassemblèrent autour de Tarass et Trixx. Plus de vingt armes étaient maintenant braquées vers les deux amis. La situation devenait des plus préoccupante.

Le cercle meurtrier des ograkks se refermait petit à petit lorsque le parchemin en boule atterrit au pied de Tarass et Trixx.

Une lointaine parole retentit ensuite. C'était la voix de Kayla.

— PAX-ARTUM-ERGA !

Dans les mains fortes et poilues des ograkks, les armes redoutables venaient de disparaître pour faire place à de longues et bien inoffensives baguettes de pain.

Tarass et Trixx se regardaient, sourire aux lèvres. Dindons de la farce, les ograkks, eux par contre, ne trouvaient guère la situation hilarante.

Pas très loin de la scène, Kayla ne pouvait en faire plus pour ses deux amis. Elle s'assit sur le sommet de la colline et porta ses mains devant son visage.

— Je ne tiens pas à regarder ça…

Ses deux yeux étaient bien cachés, mais ses oreilles n'étaient cependant pas bouchées. Après seulement quelques grains du sablier, le grabuge cessa devant elle.

Elle baissa alors les deux mains.

À quelques mètres sur le flanc de la colline, Tarass avait enroulé de façon amicale et détendue son bras autour du cou de Trixx. Sans lâcher son ami, il se tourna vers Kayla.

Il essuya ensuite son front du revers de son autre bras et la fixa avec un air sérieux.

— S'il y a massacre aujourd'hui, ce sera un massacre d'ograkks seulement. Il n'y aura pas d'hommes tués, pas de femmes ni d'enfants qui mourront…

Il se retourna vers les corps inertes d'ograkks qui gisaient sur le sol.

— COMPRIS ?

Son regard était maintenant de foudre.

L'antre du mage noir

Dans un creux de la colline, Kayla remarqua la forme irrégulière d'un rocher. Ils s'y dirigèrent au pas de course. Derrière la grille d'une entrée taillée à même le rocher, un escalier descendait profondément dans les profondeurs de l'antre. Les émanations qui sortaient de la grande ouverture se faisaient plus denses. Kayla se doutait bien que plus bas, le mage transmuait en ce moment même des gens en ograkks. Elle en avait la certitude.

Soudain, un bruit cadencé, semblable à celui d'une centaine de rameurs d'une galère, résonna sur les parois, dans les profondeurs de l'antre. L'écho résonnait avec une telle force que le sol en vibrait.

Tarass pencha son corps au-dessus du vide.

La fumée dense qui lui arrivait en plein visage ne lui permettait pas de voir très loin devant lui. Il retenait sa respiration et essayait de voir tout de même. C'était impossible de discerner quoi que ce soit…

Le bruit se faisait de plus en plus audible. Des petites roches et de la poussière glissaient sur le sol près d'eux et tombaient dans l'ouverture.

Tarass s'écarta du trou, amenant ses amis loin de l'ouverture.

— Je ne sais pas ce que c'est, mais c'est très gros, et ça vient dans notre direction.

Trixx avait dégainé son épée.

Au-dessus du trou, la fumée se mit à tourner et à tracer un grand tourbillon. Une ombre gigantesque apparut. Elle était presque complètement cachée par l'écran de fumée et Tarass ne put entrevoir que deux gigantesques ailes qui battaient.

Les cheveux de Tarass, Kayla et Trixx étaient balayés sur leur tête, dans toutes les directions. Des petits débris et de la poussière de terre se soulevaient en rafales autour d'eux.

Le vacarme assourdissant des battements d'ailes les poussait à se boucher les oreilles. Au-dessus de leur tête, le ciel devint noir. Trixx, apeuré, manœuvra son épée dans le vide au bout de ses bras.

L'ombre passa et s'éloigna aussitôt. Le bruit diminua graduellement et le calme revint aux abords de l'ouverture de l'antre.

Les trois compagnons se précipitèrent au sommet de la colline la plus proche pour regarder. Au loin, une gigantesque créature à trois têtes et aux ailes semblables à celles d'une chauve-souris s'éloignait…

Trixx rangea d'un air angoissé son épée dans son fourreau. Son regard ne quittait pas l'horizon. Tous les trois regardaient, silencieux, la grande créature qui s'éloignait à l'horizon…

— Qu'est-ce qui se passe dans cet antre de malheur ? demanda Trixx.

Il se tourna vers Kayla.

— Non mais, tu as vu ce monstre ? poursuivit-il. Tu as déjà vu dans tes bouquins anciens une telle créature ?

— Oui ! lui répondit Kayla.

Tarass voulut savoir lui aussi.

— Qu'est-ce que c'est ?

— C'est un dramon ! C'est un monstre fabuleux qui possède non pas une, mais trois têtes. Si l'une d'elles est coupée par une épée ou une hache, deux autres repoussent. Le dramon est la créature préférée des mages noirs. Ils sont prêts à protéger leur maître jusqu'à la mort. Mais depuis des millénaires, jamais personne n'a réussi à en tuer un seul parce que leurs têtes repoussent tout le temps.

Trixx regarda Kayla d'une mine déconfite.

— C'est comme une très mauvaise nouvelle, ça ! Au lieu de nous expliquer tout cela, tu aurais pu nous dire que c'était la pire créature contre laquelle nous n'aurions jamais à nous battre, la pire, c'est tout ! Non mais, ce n'est pas possible ! Une créature avec des têtes qui repoussent lorsqu'on les coupe…

Tarass s'éloigna de Trixx et dévala la pente en direction du rocher.

— Oui peut-être, mais en ce moment, il faut profiter du fait qu'elle a quitté l'antre, lui fit remarquer son ami.

L'antre

Trixx saisit deux barreaux rouillés et brassa la grille vigoureusement.

— Rien à faire ! dit-il à ses amis. Si moi je ne peux pas l'ouvrir, personne d'autre ne le peut.

Trixx aimait quelquefois se vanter de posséder une grande force physique, surtout depuis le début de ce périple.

— Moi, je le peux ! lui répondit Tarass, à sa grande surprise. J'ai la clé…

Trixx et Kayla crispèrent les yeux.

Tarass leva son bouclier.

— C'est comme une clé passe-partout !

Kayla et Trixx lui souriaient.

Tarass s'approcha de l'entrée et frappa

la grille avec son arme. La grille sauta de ses gonds et dégringola les marches de l'escalier devant eux.

Tarass passa le seuil et descendit devant ses amis.

L'escalier en colimaçon leur donnait la nausée. Un tronçon de couloir apparut enfin à droite. Tarass s'y jeta sans retenue. À l'étroit, juste derrière lui, Trixx avait la main sur la poignée de son épée. Il savait bien que si un ennemi se présentait, il ne pourrait pas sortir son arme, l'endroit étant trop exigu et son épée trop longue. Mais le simple fait de la toucher le réconfortait, le sécurisait.

Derrière lui, Kayla marchait à reculons. Elle surveillait les arrières, question de ne pas se faire surprendre.

Devant eux, des gémissements humains retentirent. L'écho des plaintes emplit aussi l'intérieur du couloir. Tarass accéléra le pas, suivi de Trixx. Incapable de suivre ce rythme dans cette position, Kayla pivota sur elle-même et courut derrière ses amis. Juste à quelques mètres devant eux, une lueur apparut au bout du couloir.

Dans une grande caverne festonnée de stalactites et de stalagmites, ils trouvèrent plusieurs cages dans lesquelles étaient emprisonnées des centaines de personnes. Une odeur pestilentielle émanait des espaces clos par de gros barreaux.

Dans une partie retirée de la caverne, au centre d'un espace dégagé, Trixx remarqua les restes répugnants d'une carcasse d'homme. L'odeur putride qui planait souleva son cœur.

— Voilà la niche du chien-chien du mage noir. C'est sans doute ici que dort et se nourrit cette saleté de dramon.

Tarass courut jusqu'à la cage la plus proche. Là, entre les corps des personnes endormies, un homme au visage sale et au vêtement déchiré s'extirpa du groupe pour venir à la rencontre de Tarass.

— Qui êtes-vous ? Vous avez de l'eau ? De l'eau ! À boire, s'il vous plaît !

L'homme était dans un état absolument pitoyable. Les doigts de ses deux mains enroulées autour des barreaux ne portaient plus d'ongles. Il était clair pour Tarass et ses amis que ces pauvres gens n'étaient pas seulement victimes de mauvais traitements. NON ! Plusieurs marques sur son corps attestaient que le mage noir faisait subir à ses prisonniers les pires sévices. Kayla retint un air de dégoût pour ne pas offenser l'homme.

Tarass fit un geste vers Trixx.

— BLEU ! Va chercher une des grandes cruches en terre cuite cordées sur le tas de pailles là-bas, VITE !

Apeurés, d'autres hommes et des femmes au crâne rasé se réveillèrent. Tous vinrent se coller aux barreaux. Tous, sans exception, portaient aussi des marques de blessures.

Kayla en déduisit que le mage noir prenait d'une façon atroce et cruelle ses composants de mixtures effroyables. Il prélevait directement sur ces pauvres gens, pendant qu'ils étaient encore en vie, cheveux, ongles et autres organes...

Il aurait été possible, bien entendu, de pratiquer ces prélèvements sur les morts. Cependant, extraire ces organes sur des êtres encore vivants non seulement augmentait grandement l'efficacité des sortilèges, mais assurait la réussite des envoûtements de magie noire les plus complexes et redoutables.

Kayla ne doutait plus maintenant. Ce mage était un maître doté d'une puissance considérable. Elle palpa et caressa avec sa main droite son sac, espérant, lorsque le moment viendrait, d'être à la hauteur.

Trixx distribua, le plus rapidement qu'il le put, l'eau aux multitudes de mains tendues en cuillère entre les barreaux. Des autres cages, d'autres prisonniers gesticulaient et gémissaient.

— Il n'y en a plus ! Attendez ! Je reviens. Celle-ci est vide…

Il se dirigea vivement vers les amphores une seconde fois.

— Qui êtes-vous, jeunes gens ? demanda l'homme d'un souffle faible. Vous n'êtes pas de notre contrée, et vous n'êtes pas nos ennemis.

— Mon nom est Tarass ! Elle, c'est Kayla et le serveur d'eau, là-bas, c'est Trixx. Ils sont mes amis.

Trixx était toujours affairé à distribuer de l'eau.

— Nous savions tous que vous alliez venir un jour.

Tarass était parvenu à arracher un sourire timide au pauvre homme.

— Ce mage est un être barbare et sans pitié, révéla-t-il à Tarass, des trémolos dans la voix. Nous étions des milliers et voilà tout ce qui reste de notre population. Ils ont emporté nos enfants. Nous ne savons pas ce qui leur est arrivé.

Tarass hocha doucement la tête.

— Un après l'autre, ils nous jettent en pâture à un grand serpent volant. À chaque sablier, ils viennent nous chercher par dizaines et nous emportent pour nous transformer en ignobles créatures à quatre bras.

— En ograkks ! lui confia Kayla.

L'homme se tourna vers elle.

— Des ograkks ?

— Ce sont des ograkks que vous avez combattus et qui vous ont fait prisonnier. Ce sont des gens comme vous et moi qu'une ignominieuse sorcellerie a transformés en créatures hideuses et meurtrières.

Dépité, l'homme regarda Kayla droit dans les yeux.

— Mais, nous nous battons entre nous ! comprit-il alors.

— C'est le plan de l'infâme Khonte Khan, lui répondit Kayla. Si nous ne l'arrêtons pas, il va conquérir tout l'atoll. Il y est parvenu ici. Il réussira avec les autres aussi, ce n'est qu'une question de temps.

— Ou de riposte ! la corrigea Tarass. Nous ne nous laisserons pas conquérir aussi facilement, NON !

L'homme voyait une grande détermination dans les yeux de Tarass.

Tarass se dirigea vers le gros cadenas à la porte et le coupa en deux d'un coup sec de bouclier. Il poussa ensuite le grillage avec son pied et ordonna à tout le monde de sortir.

— VITE ! Il faut aussi transporter les plus faibles et les plus mal en point. Ceux qui peuvent marcher doivent aider ceux qui ne le peuvent pas, ALLEZ !

Il se dirigea vers les autres cages pour libérer les autres. La masse grouillante de gens attendait d'autres instructions.

Pour que tous puissent le voir, Tarass grimpa à la paroi de la caverne et se jucha dans une cavité.

— ÉCOUTEZ ! ÉCOUTEZ TOUS !

Tous les prisonniers se tournèrent vers lui.

— L'ESCALIER ! AU FOND LÀ-BAS !

Tarass leur montra l'endroit par lequel ils étaient parvenus à s'introduire discrète- ment dans l'antre du mage noir.

— IL CONDUIT À LA SURFACE ! UNE FOIS LÀ-HAUT, VOUS SAUREZ DANS QUELLE DIRECTION ALLER. ATTENTION AU DRAMON…

Plusieurs crispèrent les yeux.

— Le dramon ?

Tarass précisa :

— LE SERPENT VOLANT !

Ils venaient tous de saisir.

— ALLEZ ! s'écria-t-il avant de redes- cendre.

13

Et les enfants ?

Sur leurs gardes, Tarass, Kayla et Trixx observaient le dernier prisonnier à quitter avec les autres cette caverne maudite. Il s'engouffrait dans l'escalier qui allait le conduire vers la liberté, lui aussi.

Trixx poussa un soupir.

— Première mission remplie ! dit-il, satisfait et fier. Il ne nous en reste plus que trois, comme tantôt : supprimer le mage, éliminer le dramon et sortir de cette contrée de malheur avant que nous soyons complètement infectés par les radiations.

Tarass regarda son ami sans broncher.

— J'ai l'impression qu'après cette journée, je ne vais plus veiller longtemps autour du feu, ajouta Trixx en soufflant très fort…

Tarass lui souriait.

Dos tourné à eux, Kayla semblait songeuse.

— Qu'est-ce qui se passe ? Tu as capté quelque chose ? s'inquiéta Tarass. KAYLA !

— Non ! Je réfléchissais, c'est tout. Vous avez entendu, comme moi. Ils ont emporté les enfants. Peut-être que le mage les a transformés eux aussi ?

Tarass et Trixx fixaient leur amie.

— Euh ! à quoi tu penses ? l'incita Trixx à poursuivre.

Tarass voulait comprendre lui aussi.

— Vous avez déjà rencontré des petits ograkks, vous ? Non, n'est-ce pas !

Tarass attendait la suite.

— Je crois que le mage les a transformés en autre chose que des ograkks, supposa-t-elle, le visage tout en grimace.

Tarass se gratta la tête.

— Tu crois qu'il a transformé les enfants en krâlors ? s'affola soudain Trixx.

— Je ne sais pas, lui répondit Kayla, peut-être.

Le visage de Trixx était figé et inex-
pressif.

— Mais nous avons tué plusieurs de
ces krâlors !

— Du calme ! les intima Tarass. Les
enfants de cette contrée n'ont pas été transformés en krâlors. Rappelez-vous ce que le
vieux Victor nous a raconté. Les krâlors
sont les vidangeurs de l'antre, des parties
de cadavres d'hommes transformées et
réutilisées à l'aide de la sorcellerie noire.

Trixx poussa un très grand soupir de
soulagement.

— J'ai eu très peur d'avoir fait du mal à
d'innocents enfants, tu sais.

Tarass s'approcha de Kayla.

— Alors, Kayla ! En quelle immonde
abomination le mage a-t-il transformé les
enfants de cette contrée, d'après toi ? Quel
genre de créatures devons-nous redouter ?

Kayla pointa son index raide vers son
ami.

— Conduis-moi à l'officine de ce mage
fou et d'après les ingrédients que j'y trouve-
rai, je pourrai te répondre.

Chasse au mage noir

Tout au fond de la caverne, loin des cages vides, se trouvait une grande ouverture décorée de colonnes, de gargouilles et d'arabesques. Une longue galerie éclairée par quelques rares flambeaux blafards s'enfonçait presque à perte de vue. Tarass en tête, ils s'y dirigèrent tous les trois.

Près de l'entrée, Trixx remarqua de profondes marques de dents sur les colonnes de pierre. Des traces que le dramon a sans doute laissées lorsqu'il était à la poursuite d'une de ses proies.

Sans retenue, Tarass s'y introduisit, bouclier en main. Sous ses pieds, le sol crépitait et était aussi horriblement gélatineux.

Il n'osa pas se pencher pour regarder. Il savait qu'il s'agissait de milliers d'insectes dégoûtants. Il avait fréquenté tant de ces couloirs humides et morbides depuis son départ de Moritia.

Il se tourna vers ses amis derrière lui.

— Je vous conseille de ne pas vous arrêter ! Il y a tout plein d'insectes.

Mais il était déjà trop tard pour Trixx, qui était loin en retrait.

Il venait de faire l'erreur de pencher la tête pour regarder. Le simple fait de s'être arrêté pendant quelques grains du sablier avait permis à plusieurs insectes d'escalader ses souliers.

À la fois horrifié et dégoûté, il gesticulait d'horreur, essayant tant bien que mal de se débarrasser de ces répugnantes petites créatures qui avaient entrepris de squatter ses vêtements.

Kayla vint à son aide et frappa les insectes avec son sac. Désencombré, Trixx courut ensuite pour se rapprocher de Tarass. Derrière lui suivait Kayla.

Là, Tarass s'était arrêté soudain.

— Mais qu'est-ce que tu fais ? Il ne faut pas interrompre notre progression dans ce fichu passage, sinon les…

Mais le reste des mots ne se formulèrent pas dans sa bouche.

Devant Tarass, trois têtes monstrueuses le dévisageaient, celles du dramon qui, de toute évidence, était revenu.

Tarass recula lentement, très lentement, ne quittant pas des yeux le monstre. Kayla et Trixx, qui avaient aussi aperçu le dramon, l'imitèrent. Lorsqu'ils furent tous les trois hors de portée de ses mâchoires mortelles, ils tournèrent les talons et prirent leurs jambes à leur cou.

À mi-chemin, un grondement sourd résonna et le passage derrière eux fut complètement envahi par les flammes. Le feu fonçait dans leur direction à très grande vitesse.

Les yeux de Tarass n'avaient jamais été aussi ronds dans leur orbite.

— PAR TERRE ! gueula-t-il à pleins poumons. JETEZ-VOUS PAR TERRE TOUT DE SUITE !

Étendus tous les trois à plat ventre sur le sol, les bras enroulés autour de leur tête, ils attendirent. Les flammes arrivèrent et passèrent juste au-dessus d'eux. La chaleur fut telle qu'une mèche des cheveux de Trixx brûla.

Il bondit sur ses pieds en se frottant la tête.

— ÇA Y EST ! s'exclama-t-il d'un air sérieux. Je suis complètement défiguré…

Kayla jeta vite un coup d'œil.

— Mais non, ce n'est qu'une petite mèche de cheveux ! le rassura-t-elle. Au moins, tu es en vie.

— En vie ! C'est vite dit ! Je suis presque tout à moitié calciné !

— Au lieu d'être bleu pâle, tu es bleu foncé ! rigola Kayla. C'est tout !

Tarass leva la main pour les faire taire. Il scrutait le passage devant lui et écoutait. Les grondements s'étaient tus et un silence lugubre régnait maintenant.

— Il n'est pas question de retourner par là. Il faut trouver une autre issue.

Ils tournèrent tous les trois le dos à l'entrée et, à reculons, rebroussèrent chemin.

Revenus à leur point de départ…

— C'est toi qui respires fort comme ça, Bleu ? demanda Kayla.

— Non ! Moi, je croyais que c'était toi.

— C'est qui, alors ?

Trixx se retourna très lentement. Juste

au-dessus de lui, trois immenses et très répugnantes têtes le dévisageaient goulûment. C'était encore le dramon !

Le cerveau de Trixx envoya plusieurs fois des signaux à ses muscles, mais aucun ne répondit. Il ne pouvait pas bouger, complètement paralysé par la peur.

Avant que Tarass ne puisse réagir, le dramon baissa l'une de ses têtes et saisit Trixx par le gros fourreau de son épée, attaché solidement à son dos. La grande créature ailée le souleva comme le ferait un grand aigle avec un petit lapin.

Tarass bondit et attrapa le pied de son ami. Ses mains cependant glissèrent sur le cuir souillé d'insectes écrasés. Tarass tenta de concentrer toutes ses forces vers ses mains, mais c'était inutile, il dut lâcher prise.

D'un prodigieux battement d'ailes, le dramon quitta le sol, emportant avec lui sa proie. Dans sa bouche, Trixx gesticulait avec véhémence. Il tentait désespérément d'extirper son épée de son fourreau, mais elle semblait coincée entre les longues dents acérées de la créature.

Tarass souleva son bouclier très haut

au-dessus de sa tête et frappa le sol avec fureur.

— NOOOOOOON !

Le bouclier magique de Magalu s'enfonça profondément dans la roche et créa une brèche si grande et si profonde que Tarass et Kayla durent reculer pour se mettre à l'abri.

La brèche devint très vite une large crevasse qui zigzagua sur le sol devant eux. Des stalagmites s'écroulèrent partout dans la caverne. La crevasse s'attaqua ensuite à la paroi même de la caverne et monta vers le dramon. Des dizaines de stalactites se cassèrent et quittèrent la voûte. Ils tombaient telle une pluie meurtrière. Le dramon contourna adroitement les lourds projectiles et disparut dans une grande niche creusée dans la paroi.

Tarass s'élança vers le centre de la caverne et leva la tête. Au fond de la niche, une galerie semblait s'ouvrir et conduire dans la même direction que celle qu'ils avaient tenté tous les trois d'emprunter plus tôt.

Tarass attrapa la main de Kayla et la tira de nouveau vers cette galerie.

— PAR LÀ !

Kayla, qui avait peine à suivre le rythme de Tarass, dut augmenter la cadence lorsque celui-ci entendit les échos d'horribles bruits de mastication.

Craignant le pire pour leur ami, ils coururent sans ralentir pour ne s'arrêter finalement qu'à l'entrée d'une seconde caverne, encore plus funeste que la première.

L'officine

Un crépitement surnaturel régnait. L'endroit était éclairé par des chandelles posées sur des crânes humains, qui faisaient danser des ombres lugubres et fantomatiques sur les parois.

Au centre de la caverne, sur un monticule inaccessible protégé par un gouffre profond, une énorme marmite placée sur un feu ardent chauffait. Elle était dotée de quatre roues afin de pouvoir la déplacer d'une contrée à l'autre, au gré des conquêtes.

Kayla reconnut tout de suite l'odeur du soufre, du sang brûlé, du sable vert de Drakmor et de la poudre d'os humains…

Elle se tourna vers Tarass et fit un petit signe avec sa tête.

Tarass comprit qu'ils étaient parvenus à l'officine du mage noir. Il plaça son bouclier devant lui et Kayla, elle, porta la main à son sac.

Tout à fait en haut de la voûte, Tarass aperçut une autre grande ouverture. Il s'agissait sans doute de la sortie de la galerie qu'avait empruntée le dramon pour emmener Trixx. Où étaient-ils maintenant, tous les deux ?

Tarass posa son regard horrifié sur un homme attaché à une grue. Il était suspendu là-haut, à demi inconscient. Il se lamentait de façon inintelligible juste au-dessus de la grande marmite.

— Tu crois qu'ils vont le faire bouillir vivant pour le transformer en ograkks ? murmura Tarass, pris d'effroi.

— Oui ! lui répondit Kayla. C'est dans cette marmite que bouillonne la pierre philosophale. C'est bien cette mixture putride aux vapeurs fétides qui transforme les humains en ograkks, il n'y a pas doute.

L'homme commença à s'agiter lorsque la grue s'abaissa lentement. Il gesticulait maintenant dans tous les sens et hurlait à tue-tête.

De l'autre côté de la marmite, quelqu'un manipulait le long bras orientable de la grue. Mais la chance n'était pas avec Tarass et Kayla, car, d'où ils étaient, ils ne pouvaient pas voir de qui il s'agissait.

Un dernier cri se fit entendre lorsque son corps disparut sous les gros bouillons. Tarass fut soudain pris d'un profond sentiment de pitié pour tous ceux qui avaient subi ce triste sort.

Le temps de quelques grains de sablier passa avant que la grue ne remonte le pauvre homme. Son corps, qui maintenant avait doublé, était complètement inanimé. Le liquide infect s'écoulait et retombait dans la marmite par gros grumeaux.

Sa tête était penchée vers l'avant et quatre bras pendaient de chaque côté de son torse. La transformation avait réussi une autre fois.

Au bout du long câble qui pendait de la grue, le corps de l'ograkks peu à peu s'anima.

Kayla hocha la tête en signe de découragement.

— Pour neutraliser cette mixture, ça va nous prendre bien plus qu'un simple crachat, constata-t-elle. Je ne sais vraiment pas comment nous allons faire…

D'un seul regard, Tarass jaugea la dimension de la marmite.

— Moi, je sais ce qu'il nous faut.

Kayla se tourna vers son ami.

— Est-ce qu'une saleté de dramon ferait l'affaire ?

Kayla répondit par l'affirmative.

— Parfait ! Alors, suis-moi.

Tarass rebroussa chemin par la galerie, jusqu'à la première caverne. Là, il parvint avec Kayla, à gravir rapidement la paroi jusqu'à l'ouverture empruntée par le dramon.

Après une autre course dans un autre long passage, ils se retrouvèrent à nouveau dans la caverne de la marmite. Mais maintenant, de là-haut, ils avaient une vue d'ensemble de tout l'endroit.

Tarass et Kayla baissèrent tous les deux la tête. Juste à quelques dizaines de mètres sous eux, sur un autel taillé dans le roc, un homme encagoulé avait les deux bras dressés, chaque côté de lui.

16

Les lampes

Le rire démoniaque du mage résonna soudain dans toute la caverne.

— HA ! HA ! HA ! HA ! HA ! Trixx Birtoum ! Le tristement fameux Trixx Birtoum. Mais où sont tes deux acolytes ? Ils t'ont abandonné ?

Le mage leva les yeux pour regarder dans la caverne.

Tarass et Kayla baissèrent la tête.

— OH ! s'écria le mage devant Trixx. Ils ne sont pas là ! Peut-être que Flèguegonde mon dramon a eu un petit creux ? HA ! HA ! HA ! HA ! HA !

Le mage s'esclaffa de nouveau.

Trixx était agenouillé, prostré devant le

mage noir. Enrubanné très serré d'une bandelette poisseuse telle une momie, il était complètement immobilisé et incapable de se transformer. La douleur insoutenable nuisait à sa concentration. Le mage avait prévu le coup. Il connaissait très bien les aptitudes de métamorphose des morphoms.

Un ograkks un peu cinglé s'amusait à menacer Trixx avec le dos de son épée bleue. Il la passait sous et sur sa tête doucement, sans mettre la moindre pression sur la lame.

— Tu es incapable de te transformer, saleté de morphom, n'est-ce pas ? lui dit l'ograkks écumant.

— Tu sais, espèce de déjection de porc, marmonna Trixx entre les bandelettes, que c'est cette lame même, que tu tiens dans tes mains répugnantes, qui mettra fin à ta triste vie de subalterne de Khan!

L'ograkks força Trixx à s'affaisser sur le sol en poussant très fort sur l'épée. Le mage leva sèchement la main vers l'ograkks qui s'arrêta aussitôt.

Le mage noir avança vers Trixx, le visage toujours caché dans l'ombre de sa cagoule.

— Moi, mon cher ami, commença-t-il d'une voix caverneuse, je vous conseille plutôt de vous soucier de votre vie à vous. Une vie qui, dans à peine quelques grains du sablier, se terminera, si je peux m'exprimer ainsi, d'une façon abrupte et bien entendu très violente.

Le mage fit demi-tour et alla se placer sur la plus haute dalle de l'autel.

— Si jamais quelqu'un écrit votre histoire ou vos péripéties, poursuivit le mage, ils n'auront qu'à venir me voir, car je serai le seul à connaître la fin des fameux défenseurs de l'atoll.

Trixx se tortilla sur le sol et tenta de se défaire de ses liens. Pour l'arrêter, l'ograkks plaça la pointe de l'épée entre ses omoplates.

— CHAROGNE ! grommela-t-il entre ses dents.

— TUT ! TUT ! les gros mots, se moqua le mage. N'ayez rien à craindre, cher ami, j'ai réservé une place de choix à vos crânes dans ma bibliothèque. Avec une belle chandelle noire placée sur votre front, vous égayerez mes lectures nocturnes de grimoires.

Le mage tourna ensuite le dos à Trixx et donna des ordres.

— JETEZ-LE DANS LA FOSSE AUX ASTICOTS ET NE ME RAPPORTEZ SON CRÂNE QUE LORSQUE QU'IL SERA PROPRE, COMPLÈTEMENT DÉGARNI DE CHAIR ET DE CHEVEUX.

Les deux ograkks soulevèrent Trixx et l'emportèrent vers une grotte souterraine infecte.

— Tous des incompétents, ces ograkks, marmonna le mage noir en regardant ses ongles propres. La dernière fois, ces idiots avaient retiré le crâne trop vite de la fosse et le cerveau était resté dedans. L'odeur de putréfaction a empesté mes appartements pendant des lunes…

Trixx fut brutalement traîné par les deux ograkks à travers un enchevêtrement sombre de galeries. Il fut conduit directement à l'embouchure d'une profonde fosse où frétillaient des milliers d'asticots répugnants.

L'un des ograkks balança dangereusement son corps au-dessus de la fosse pour regarder tout au fond.

— Ils ont très faim, nos petites bébêtes, constata-t-il avec jubilation. Il y a très longtemps que nous les avons nourris.

L'ograkks qui s'était emparé de l'épée bleue plaça l'arme sous le menton de Trixx.

— Maintenant que le maître n'est pas là pour intervenir en ta faveur, grogna l'ograkks, je vais te rendre un très très grand service. Je vais tout d'abord t'entailler ici.

L'ograkks passa la lame près du torse de Trixx.

— Ensuite là !

Il montra ensuite avec la pointe de la lame le bras gauche.

— Et puis là ! Et encore là !

La lame était placée à la hauteur des cuisses de Trixx.

Le deuxième ograkks riait…

— Oui je sais ! À première vue, ça n'a pas l'air d'un très grand service, précisa le premier, mais pour s'introduire dans ton corps afin de te dévorer, les asticots ont besoin d'orifices. En haut, ça va ! Pas de problème ! Il y a ta bouche, tes narines, tes oreilles, mais en bas ! Il faut entailler, sinon, ce serait beaucoup trop long. Avec ces blessures, nous allons sauver un temps fou, crois-moi ! Le mage noir aura sa lampe beaucoup plus vite...

De grosses gouttes de sueur coulaient sur le front de Trixx. Il savait que la fin était proche et que même s'il parvenait à se métamorphoser, il n'aurait pas la force de se défendre ou de fuir.

L'ograkks souleva l'épée à la hauteur du nez de Trixx.

— Alors ! Je commence par où ? demanda-t-il sur un ton faussement respectueux.

— ICI ! répondit une voix.

Les deux ograkks figèrent sur place.

Trixx pencha la tête vers la gauche pour regarder derrière l'ograkks.

Tarass était là ! Son regard immobile fixait le derrière de la tête de l'ograkks qui n'osa pas se retourner.

— Maintenant, c'est moi qui vais te rendre un GRAAAAND SERVICE, comme tu dis.

L'ograkks demeura toujours immobile.

— Je vais te laisser porter le premier coup ! Ouais ! Je ne bougerai pas tant que tu n'auras pas bougé, toi, en premier.

L'ograkks considérait la situation. La réputation de Tarass le précédait partout où il allait et tous les ograkks des armées de Khonte Khan le craignaient, avec raison.

Pour éviter que Tarass n'anticipe son geste, l'ograkks inspira longuement et très discrètement. Lorsque ses poumons furent bien remplis d'air, il se retourna et frappa Tarass avec une rapidité et une violence inouïes.

Tarass n'eut pas le temps de réagir et la lame de l'épée bleue trancha net son cou. Fier, l'ograkks souriait…

L'ennemi juré de Khonte Khan venait d'être tué…

Le vrai du faux

Le corps du malheureux Tarass demeura longuement immobile devant l'ograkks qui souriait encore, jusqu'à ce que Tarass lui-même lui renvoie son sourire…

Stupéfait, l'ograkks frappa un second coup à la poitrine. Tarass lui souriait toujours de façon moqueuse. Il examina ensuite la lame bleue : elle était propre et exempte de taches de sang. L'ograkks fulminait ! Il asséna de plusieurs coups le corps devant lui, jusqu'à s'en épuiser.

Essoufflé, il laissa tomber l'arme sur le sol. Tarass était toujours debout, devant lui.

L'image souriante de Tarass remua soudain comme la surface miroitante d'un lac, puis disparut sous le regard médusé des deux ograkks.

De la galerie venaient vers eux deux ombres : Kayla, suivie du vrai Tarass. Arrivée à leur hauteur, elle lança un sourire moqueur à l'ograkks, puis se pencha pour ramasser un parchemin froissé en boule, un mandala.

Trixx tenta de sourire, mais sous les bandelettes, il en était complètement incapable.

Tarass se pencha à son tour pour ramasser l'épée de Trixx. Il empoigna le manche et fit un geste sec devant l'ograkks. L'épée était revenue comme un éclair au-dessus de sa tête.

Tarass observa sans broncher le corps de l'ograkks qui, comme la pelure d'une banane, s'écarta en deux parties pour finalement tomber dans la fosse.

Tarass se tourna vers le deuxième ograkks.

— TOI !

L'ograkks sursauta.

— Tu tiens absolument à servir ton maître le mage ? Alors, saute ! Il a besoin de lampes pour lire.

L'ograkks jeta un coup d'œil dans le trou profond.

Des milliers de gros asticots s'affairaient déjà à nettoyer son collègue.

— Tu sautes, ou je t'aide ? réitéra Tarass en soulevant l'épée vers l'ograkks.

L'ograkks plongea vers la mort…

18

Le zénith

Au bout de la grue se balançait une autre innocente victime. Un jeune homme qui allait, lui aussi, être vilement transformé en ignoble et cruel ograkks.

De nouveau réunis, Tarass, Kayla et Trixx étaient couchés à plat ventre sur le sol de la galerie supérieure. Discrètement, ils épiaient les faits et gestes du mage noir.

— T'as un plan ? demanda tout bas Kayla à Tarass.

Les grincements de la grue en mouvement résonnaient sur les parois.

— Je pense que la seule chance que nous avons de vaincre ce puissant mage, c'est de l'attaquer, simultanément, sur plusieurs fronts.

— Oui, c'est bon, mais comment ? demanda Trixx.

— Kayla, tu sommeras un mandala de décélération et...

Kayla ne semblait pas du tout d'accord avec le début de ce plan.

— Mais ça ne sert à rien, s'opposa-t-elle. Les mandalas de premier niveau n'ont aucun effet sur les mages, tu le sais très bien...

— Qu'est-ce que tu penses, je ne l'ai pas oublié. C'est seulement pour prévenir les coups : si le dramon revient ou si des ograkks veulent intervenir, eux en seront envoûtés. De cette façon, nous nous assurons de n'avoir à combattre que le mage, et aucune autre créature.

Trixx trouva l'idée de Tarass très astucieuse.

Kayla roula sur le côté et s'étendit sur le dos. Sur un parchemin, elle traça un cercle puis des lignes. Le mandala terminé, elle le chiffonna en boule et le lança discrètement, loin derrière le mage. Ensuite, elle plaça ses deux mains de chaque côté de sa bouche et prononça l'incantation.

— INGA-TRA-BAX !

Près de la grue, le mage stoppa net.

Tarass l'observa, ahuri. Venait-il d'être envoûté par le sortilège de Kayla ? C'était peu probable. Tarass avait de la difficulté à croire ce qu'il voyait de ses propres yeux. Il observait le mage qui, à son grand étonnement, bougeait très très lentement.

Sceptique, il lança un signal à son amie en retrait.

— PSSSST! viens voir, c'est très curieux…

Kayla rampa sur le sol jusqu'à lui. Lorsqu'elle aperçut le mage noir qui était au ralenti derrière sa grue, son visage révéla un grand étonnement.

— Mais comment est-ce possible ? demanda Tarass. Est-ce que ton sortilège a vraiment réussi à envoûter ce mage ?

Elle aussi cherchait à comprendre.

Lorsque Tarass tourna la tête du côté de Kayla, il remarqua, à sa grande stupeur, que tous les vêtements de son amie étaient maintenant complètement… BLANCS !

— KAYLA ! s'exclama Trixx lorsqu'il

aperçut lui aussi l'accoutrement de son amie. TES VÊTEMENTS ! COMMENT AS-TU FAIT POUR TE CHANGER SI VITE ?

Kayla baissa la tête et regarda nerveusement chacune de ses épaules. Lorsqu'elle constata que tous ses vêtements venaient de tourner au blanc, elle bondit sur ses pieds et écarta ensuite les bras vers le ciel.

— ÇA Y EST ! ÇA Y EST ! JE SUIS MAGE BLANC ! hurla-t-elle en sautillant partout, très excitée. JE SUIS MAGE BLANC !

Tarass et Trixx ignoraient totalement de quoi leur amie parlait. Ils se levèrent pour aller vers elle.

— JE SUIS MAGE BLANC ! VOUS VOUS IMAGINEZ ?

— Ouais ! bravo ! Mage blanc ! s'exclama Trixx qui ne comprenait pas la grande joie de son amie.

— Mage blanc ? répéta Tarass, perplexe. Tu es mage blanc maintenant ?

— Et puis, qu'est-ce que ça signifie, être mage blanc, s'interrogea finalement Trixx. Tu vas pouvoir obtenir des rabais substantiels dans les caveaux de sorcellerie et boutiques de magie ? Tu vas payer moins cher tes craies et tes parchemins ?

Kayla lui envoya une horrible grimace.

— Idiot ! Mage blanc est la plus haute distinction que puisse recevoir un mage. C'est le zénith de la magie blanche. Tous mes sortilèges vont maintenant envoûter n'importe qui, peu importe leur rang ou leur origine magique. Même Khan !

Tarass s'en réjouit. Il fit l'accolade à son amie. Trixx aussi.

— Bravo ! la félicita Tarass. Beau travail ! Voilà qui explique l'emprise de ton mandala de décélération sur le mage noir.

Le visage de Kayla rayonnait de joie.

Tarass se pencha vers la caverne. Derrière la grue, le mage avait disparu…

Un allié de taille

— Tu as un autre plan maintenant ?
voulut s'informer Trixx.

Tarass examina la situation.

— Bon, voici ! Le mage noir s'est
enfui, d'accord, mais il ne doit pas être très
loin puisqu'il est au ralenti. Donc, la première chose que nous devons faire est de
descendre au niveau de la grue.

Kayla et Trixx attendaient la suite.

— Mon cher Bleu, cette tâche t'in-
combe. Transforme-toi en oiseau et
fais-nous descendre tous les deux…

Trixx demeura immobile.

— Mais Tarass, je suis sous le choc !

C'est la première fois que je t'entends dire une idiotie.

— Mais qu'est-ce qu'il y a d'idiot dans ce que je viens de dire ? lui demanda son ami un peu vexé. Transforme-toi en oiseau. Vole jusqu'à la grue. Là, retrouve ton apparence normale, puis manœuvre les leviers pour nous faire descendre jusqu'à toi, c'est simple ça comme plan, non ?

— Et très réalisable ! ajouta Kayla.

Trixx demeura une seconde fois immobile.

Tarass se doutait que son ami avait mal interprété son plan la première fois.

— Dis-moi, Trixx, s'enquit-il. Qu'est-ce que tu pensais que je voulais que tu fasses ?

Gêné, Trixx frotta le sol avec le bout de son pied.

— Eh bien, j'ai pensé que tu voulais que je me transforme en petit oiseau pour ensuite vous transporter sur mon dos, chacun votre tour, jusqu'à la grue, voilà.

Kayla s'esclaffa…

— HI ! HI ! HI ! HI ! HI !

— OUAIS ! j'avoue, lui dit Tarass. C'est vrai que c'est très idiot, mais ce n'est pas moi qui y ai pensé, c'est toi.

Trixx ferma les yeux pour mieux se concentrer. Devant ses deux amis, son corps se modela progressivement et diminua de taille radicalement. Des ailes et des plumes apparurent. La transformation complétée, il s'envola aussitôt en direction de la grue.

Juché sur un levier, il reprit graduellement sa forme et sa taille normales. Son poids força le levier à s'abaisser et le long bras de la grue se souleva juste au-dessus des têtes de Tarass et Kayla.

Tarass fit de grands signes à son ami avec ses bras étendus.

Trixx se leva sur la pointe des pieds pour comprendre.

— FAIS DESCENDRE CET HOMME VERS NOUS ! NOUS ALLONS LE LIBÉRER.

Trixx poussa un deuxième levier et le câble roula sur la poulie au sommet du long bras. L'homme inconscient descendit jusqu'à eux.

Tarass le détacha et lui tapota légèrement le visage pour qu'il recouvre ses sens.

— Euuh ! heee ! marmonna l'homme étendu sur le sol.

Il portait un très curieux uniforme muni d'épaulettes.

Kayla tenait sa tête dans sa main.

— Mon vieux ! Allez ! Ce n'est certes pas le temps de roupiller, il faut vous lever.

— Euh ! quoi ! ah ! mer-merci, jeunes gens, merci !

Il leva son torse et s'assit. Il secoua ensuite la tête plusieurs fois.

— Ça va, monsieur ? lui demanda Kayla. Vous pouvez marcher ?

— Euh ! oui !

Il regarda autour de lui et ne semblait pas se rappeler où il était.

Près de la grue, Trixx s'impatienta.

— HÉ ! HO ! qu'est-ce que vous attendez ?

Tarass pencha la tête dans le vide vers son ami.

— Donne-nous quelques grains de sable du sablier !

— Vous avez été fait prisonnier par le mage noir, qui voulait vous transformer en ograkks, tenta de lui faire comprendre Kayla.

— Vous êtes libre maintenant ! poursuivit Tarass. Partez retrouver les autres par cette galerie. Elle vous conduira à une caverne où vous trouverez un escalier qui monte en colimaçon. Empruntez-le jusqu'à la surface…

— Soyez très prudent ! Et gare au serpent volant, gare au dramon !

L'homme ouvrit grand les yeux.

— Oui ! Les quatre bras, le serpent volant ! La guerre !

Les mauvais souvenirs revenaient dans sa tête. Il se tourna vers Tarass.

— Mais qui êtes-vous ?

— Vos alliés ! Je ne peux pas vous en dire plus, car le temps presse. Il faut que vous partiez, VITE !

L'homme se leva sur ses deux jambes et tituba légèrement. Kayla voulut l'aider, mais l'homme écarta les bras.

— Non ! Merci, merci beaucoup !

Il secoua encore la tête.

— Mon nom est Max. J'étais pilote, pilote d'avion de l'armée de l'air.

Tarass et Kayla le regardèrent sans trop comprendre. C'était la première fois qu'ils entendaient le mot avion.

— Le serpent à trois têtes ! s'exclama-t-il. Ne vous en faites pas, j'en fais mon affaire !

Max fut soudain pris d'une quinte de toux très sèche due au manque d'eau.

— J'ai piloté plusieurs types d'appareils pour l'armée et pour les grandes lignes aériennes, poursuivit-il, et je sais où je peux trouver un chasseur F-18 en état de fonctionner.

Tarass et Kayla hochèrent tous les deux la tête. Ils ne saisissaient pas un traître mot de ce que leur causait Max.

— Oui ! Bon, d'accord ! tenta de le calmer Kayla. Il faut y aller maintenant, nous n'avons plus de temps pour causer avec vous.

Max les salua tous les deux.

— Merci !

Il toussa encore.

— Je vous en dois une ! Merci !

Il s'éloigna lentement dans la pénombre de la galerie.

— Tu as compris quelque chose toi ? demanda Tarass à Kayla.

Tarass se tourna vers son amie en souriant.

— NOOON !

— Tu crois qu'il était fou ? Qu'il avait perdu la raison ?

— Je ne sais pas ! C'est le manque de nourriture et d'eau, je crois, supposa Tarass. Pilote d'avion ? F-18 ? C'est une incantation, tu penses ? C'était une espèce de mage, ce type ?

— Je ne sais pas ! Peut-être ! En tout cas, c'était la première fois de ma vie que j'entendais ces mots, avoua Kayla. Armée de l'air, répéta-t-elle…

20

Moment intime

Tarass saisit le gros câble avec sa main droite et, avec la gauche, tira Kayla vers lui.

Trixx, qui attendait patiemment en bas, actionna les leviers. Une cacophonie de grincements déchirants envahit la caverne.

Enlacés l'un contre l'autre autour du câble, Tarass et Kayla se regardaient mutuellement dans les yeux. Ils étaient, tous les deux, de toute évidence mal à l'aise.

Ils se renvoyaient des sourires timides et observaient de temps à autre Trixx, debout sur la plateforme de manœuvre, derrière la grue.

Le visage de Kayla devint rose, puis rougit. Elle se cacha derrière le câble de la grue…

— Bonjour ! blagua Tarass

Kayla leva la tête vers lui.

Il venait de remarquer la couleur de son visage.

— Quoi, bonjour ? demanda Kayla.

— Vous habitez chez vos parents ?

Kayla lui sourit timidement.

— Arrête ! le supplia-t-elle.

Le câble de la grue les balançait doucement en descendant.

— Vous venez souvent ici, dans cette caverne lugubre ?

Kayla feignit de s'impatienter, mais un autre sourire la trahissait.

— Ah ouais ! J'adore cet endroit. Mage fou ! Mauvais sorts ! Marmite morbide ! Serpent cruel ! On y trouve de tout pour s'amuser, quoi ! Tous les samedis soir, j'y viens avec deux de mes amis qui sont aussi cinglés que moi.

Leurs pieds touchèrent simultanément le sol devant la grue. Kayla donna un petit baiser sur la joue de son ami avant de s'éloigner du câble.

Tarass resta là, immobile. Son regard fixait Kayla, qui s'affairait à replacer son sac correctement sur le côté de sa hanche. Toujours immobile, il tenait le câble dans sa main droite.

Trixx sauta de la petite plateforme de manœuvre et contourna la grue.

— Cette petite et très agréable balade était une gracieuseté de Trixx Birtoum, rigola-t-il, fier de son travail. Livraison accomplie ! Vous êtes parvenus à l'endroit où vous vouliez vous rendre ! Et grâce à qui ?

Il s'arrêta soudain, sentant que quelque chose venait de se produire. C'était cependant très vague comme impression, très très vague…

— Quoi ? demanda-t-il. J'ai raté un épisode là, je crois !

Il leva la tête vers la voûte de la caverne.

— LE DRAMON EST REVENU ?

Tarass laissa enfin le câble.

— Mais non, Bleu ! Calme-toi, ce n'est rien.

Tarass lança un autre regard à Kayla, qui lui tournait le dos. Elle fixait le sol devant elle.

21

Mage noir, clé noire

La longue galerie serpentait encore plus profondément dans les ténèbres de la terre. Elle aussi, par chance, était éclairée par des centaines de chandelles lugubres à la flamme vacillante, posées sur des crânes humains.

Tarass rageait de voir autant de mépris de la race humaine autour de lui.

Le passage déboucha enfin dans une salle propre, complètement vide et dallée. Sur chacune des dalles, une lettre avait été gravée.

Trixx souleva sa jambe et dirigea le bout de son pied vers l'une d'elles.

Kayla voulut l'en empêcher, mais il

était trop tard. Il posa malheureusement son pied droit sur la dalle.

— NOOON !

Devant son objection, Trixx voulut retirer son pied. Kayla intervint encore, en hurlant cette fois-ci plus fort.

— NOOOOOOON !

— MAIS DÉCIDE-TOI ! TU VEUX QUE J'ENTRE OU PAS ?

Kayla glissa la tête entre Tarass et Trixx.

— PARCHEMIN POURRI ! s'écria-t-elle. TU AS POSÉ TON PIED SUR UNE LETTRE.

Trixx souleva son talon en prenant bien soin de laisser le bout de son pied toujours en contact avec le dessus de la dalle.

— Qu'est-ce qui se passe, Kayla ? voulait savoir Tarass. Où sommes-nous ? C'est quoi cette salle étrange, vide et complètement dépourvue de meubles ?

— C'est une clé de mage ! lui répondit-elle. Une énigme qui sert à protéger des intrus le repaire d'un mage.

Tarass sonda la pièce puis arrêta son regard sur une porte complètement à l'opposé de la salle.

— Bon, qu'est-ce que nous attendons ? La sortie est de l'autre côté. Il suffit de traverser la pièce pour passer…

— Ce n'est pas aussi simple que tu le penses ! lui répondit Kayla. Si tu marches sur les mauvaises dalles, le plancher s'ouvrira sous tes pieds et tu chuteras vers une mort certaine. Sous ce plancher dallé, il y a un autre gouffre insondable. Tu tomberas à tout jamais sans toucher le fond, et ce, pendant des jours et des jours. Tu vas mourir de faim avant de t'écraser. C'est une mort horrible.

Trixx, qui écoutait, voulut enlever son pied de sur la dalle. Kayla l'aperçut.

— JE T'AI DÉJÀ DIT DE NE PAS BOUGER, TOI ! s'emporta-t-elle.

Tarass considérait la gravité de la situation.

— Qu'est-ce qu'il faut faire ?

Kayla examina longuement l'assemblage de dalles avant de lui répondre. La salle était composée de vingt et une dalles en largeur et trente-trois dalles en profondeur. Elle fit le calcul dans sa tête : six cent quatre-vingt-treize dalles en tout. Elle compta ensuite les lettres.

— Une, deux, marmonna-t-elle tout bas.

Elle s'arrêta à cinquante-huit lettres.

— C'est la langue des Uztrogoths, les premiers sorciers noirs de la première époque… Leur langue comportait cinquante-huit lettres.

Tarass et Trixx ne comprenaient pas un traître mot de ce charabia.

— Alors ! demanda Tarass agacé. Sur quelles dalles doit-on poser les pieds pour se rendre de l'autre côté ?

— Sur les lettres qui composent le sortilège d'ouverture de cette porte.

Kayla pointa la porte de l'autre côté.

— Tu la connais, toi, cette incantation ? s'empressa de savoir Trixx, fatigué de demeurer dans cette position inconfortable et, il va sans dire, très dangereuse.

— Oui, bien entendu.

— Alors ! s'exclama Tarass. Dis-la ! Qu'est-ce que tu attends ?

Kayla se tourna vers lui.

— Je la connais dans notre langue, mais pas dans celle des Uztrogoths.

Tarass grimaça d'inquiétude.

— Mais alors ! Comment vas-tu faire pour trouver l'incantation ?

Kayla pointa la dalle sur laquelle Trixx avait inconsciemment posé son pied.

— Là ! Nous avons la première lettre.

— Mais comment sais-tu qu'il s'agit de la bonne lettre et de la bonne dalle ?

— Parce que si ce n'était pas la bonne, le plancher se serait déjà écroulé et notre ami Trixx serait, en ce moment même, en train de chuter vers sa mort.

Trixx ravala bruyamment sa salive.

— Alors ! s'exclama-t-il d'une toute petite voix. Ce n'est pas vraiment une erreur que j'ai faite en posant le pied sur cette dalle-ci ?

— Disons que tu as été plutôt chanceux ! le corrigea Kayla. Pour une fois qu'une de tes bêtises nous aide à progresser.

Trixx souffla entre ses lèvres…

— FIOUUU !

Kayla sortit de son sac son petit livre de sortilèges et le consulta. Elle tourna rapidement les pages et ne découvrit malheureusement aucun chapitre qui traitait de la magie des Uztrogoths. Elle le referma d'une seule main d'un geste sec.

Tarass comprit. La situation exigeait réflexion. Il se jeta à plat ventre sur le sol pour examiner les dalles, à la surprise de ses deux amis.

Kayla se pencha vers lui.

— Ce n'est pas le temps de faire une pause.

Tarass tourna la tête dans sa direction.

— Il y a un temps pour déconner, il y a un temps pour la magie, il y a un temps pour être rusé…

Kayla et Trixx baissèrent tous les deux les yeux vers le plancher de dalles.

Tarass bondit sur ses deux jambes et passa sa main sur ses vêtements pour enlever la poussière de roche.

— Je connais l'incantation ! se vanta-t-il fièrement devant ses deux amis incrédules.

— TOI ! s'étonna Kayla. Comment est-ce possible ? Tu ne connais même pas cette langue.

— Non, tu as raison, mais le mage noir est passé par ici très souvent et certaines dalles sont plus usées que d'autres. LES BONNES DALLES !

Confiant, il sauta ensuite à pieds joints sur une dalle devant celle de Trixx.

Au grand étonnement de Kayla, le plancher ne s'affaissa pas. Tarass posa son pied droit sur une autre dalle, puis sur une autre. Il progressa comme ça jusqu'à l'autre côté, suivi de ses amis.

Devant la porte, Kayla stoppa cependant la main de son ami qui se dirigeait vers la poignée. Muette, elle fit non de la tête.

Tarass se rendit compte qu'un peu plus et il faisait une très grande bévue. Son cœur se mit à battre très fort.

Kayla glissa son bras et attrapa la poignée de bronze avec sa main. Elle la tourna ensuite et ouvrit la porte.

Tarass la dévisagea.

— Mais ! J'aurais pu l'ouvrir moi-même !

Kayla hocha la tête.

— Oui, tu aurais pu ! Il n'y avait aucun piège, aucune précaution spéciale à prendre.

— Eh bien alors ! Pourquoi ne m'as-tu pas laissé faire ?

— Trixx a trouvé, malgré lui il faut le

dire, la première lettre. Toi, tu as résolu l'énigme.

— ET PUIS QUOI ? demanda Tarass.

— Eh bien ! moi, je commençais à me sentir un peu inutile, alors j'ai décidé de m'occuper de la porte ! Voilà, c'est tout.

Trixx passa en premier le seuil en riant. Il se bidonnait.

Mage blanc contre mage noir

Avant de s'y aventurer, Tarass jeta un coup d'œil à l'intérieur du long corridor dans lequel son ami Trixx venait de s'engager sans prendre garde. Il était flanqué de deux longues séries de chandelles noires, encore une fois posées sur des crânes.

À son extrémité, une lueur vive émanait de ce qui semblait être une grande pièce. Tarass et Kayla emboîtèrent le pas.

À mi-chemin, le bruit terrifiant d'un mécanisme se fit entendre. Au bout, à la sortie, un gros canon venait d'aligner sa bouche vers le corridor.

Trixx, curieux, contempla longuement le gros machin, car il n'avait jamais vu rien de tel. Tarass et Kayla s'approchèrent très vite de lui.

Derrière le gros appareil, des étincelles jaillissaient d'une petite corde allumée qui rétrécissait à vue d'œil.

Pour Tarass, il était très évident que tout cela était de très mauvais augure. Il se jeta devant son ami et planta son bouclier dans le plancher. Lorsque la corde fut complètement consumée, une terrifiante détonation accompagnée de fumée âcre traversa tout le corridor.

Une odeur bizarre flottait et il y avait de la fumée noire partout. D'un seul coup, toutes les bougies sur les murs avaient été soufflées. Lorsque Tarass se pencha pour ramasser son bouclier, il remarqua derrière son arme une très grosse boule de fer qui chauffait et qui fumait. Son bouclier magique venait de stopper net ce projectile sans qu'il en ressente le moindre coup, ou la moindre vibration.

La fumée le faisait suffoquer et il avait peine à respirer. Il enjamba vite le boulet et se dirigea à tâtons, vers la sortie du corridor. Kayla et Trixx le suivaient de près.

Là, ils accédèrent tous les trois à une grande salle soigneusement rangée et meublée avec goût. De grandes bibliothèques couvraient les murs, du plancher jusqu'au plafond peint. Partout, des colonnes de marbre portaient des sculptures intrigantes et magnifiques. Tarass s'étonna de voir un tel décor en ces lieux.

Sur une table, Kayla aperçut un alambic. Des cornues et des éprouvettes étaient placées sur des réchauds. Un liquide verdâtre circulait dans une tuyauterie de verre élaborée reliée par des petits tubes qui tournaient en spirales et en vrilles.

Le son du tic tac lent d'une horloge fatiguée se mêlait à celui des petits bouillonnements. Dans un coin, un athanor chauffait, rendant très confortable, et aussi très habitable, la grande pièce.

Tarass aperçut dans un autre coin le dos d'un grand fauteuil de velours rouge comme le vin. De l'autre côté du fauteuil, il perçut le froissement doux d'une page tournée, puis le bruit sourd d'un livre qui se referme.

Sur une table en bois vernis près du fauteuil, un grand livre doré doucement fut déposé. Tarass porta son bouclier devant lui.

— Ah, la lecture ! lança une voix suave

qui provenait du fauteuil. Quelle grande richesse nous procure-t-elle…

Kayla et Trixx se placèrent tous les deux à côté de Tarass.

— Vous êtes vraiment très forts, je dois me rendre à l'évidence, poursuivit la voix. J'ai fait l'erreur de vous sous-estimer, oui ! J'ai sous-estimé la valeur de mes ennemis.

Le mage noir se leva du fauteuil. Il était toujours encagoulé. Il se tourna vers eux et sursauta légèrement lorsqu'il aperçut les vêtements, tout blancs, de Kayla.

— MAGE BLANC CONTRE MAGE NOIR ! s'exclama-t-il sur le même ton de voix. Toutes mes félicitations, Kayla Xiim. Oui ! Sincèrement. Cette rencontre est fort prometteuse…

Kayla savait que le mage noir lisait dans ses pensées. Elle se concentra pour créer une barrière.

Tarass comprit lui aussi et il s'efforça donc de ne rien laisser transparaître.

— TU ES L'APPRENTIE DE MARA- BUS ! s'étonna le mage noir. QUELLE DRÔLE DE COÏNCIDENCE !

Il venait encore de lire dans la tête de Kayla.

Elle en fut très frustrée. Elle fouilla dans son sac pour prendre un mandala et elle le colla sur son front.

Le mage noir put encore lire dans les pensées de sa jeune adversaire. Un mandala de barrage ! Il trouva son geste inutile et lui sourit, mais ne dit rien.

— Ah oui ! Bon ! c'est certain qu'un mandala de barrage possède une certaine efficacité contre ceux qui veulent lire dans les pensées, mais en ce qui concerne l'esthétique, ça nuit considérablement à ton apparence, tu savais cela, très chère ? Tu es tellement jolie. C'est très dommage de dissimuler ta beauté derrière un bout de parchemin.

Il se moquait d'elle, en plus.

Kayla prononça entre ses dents l'incantation.

— Mmmmm mm !

— Toi, Kayla Xiim, je vais t'épargner, poursuivit-il en marchant de façon nonchalante autour du fauteuil. Lorsque je me serai débarrassé des deux imbéciles qui t'accompagnent, tu deviendras mon joujou préféré, comme Marabus l'était autrefois.

Kayla fut frappée d'étonnement par ce qu'elle venait d'entendre.

— Est-ce que tu savais que ta tante Marabus a non seulement été mon élève, mais aussi mon amoureuse ?

La mâchoire inférieure de Kayla tomba sur son torse.

Tarass et Trixx étaient eux aussi estomaqués.

— C'EST IMPOSSIBLE ! finit-elle par crier une fois sortie de sa torpeur. Ma tante est trop intelligente pour s'amouracher d'un meurtrier de ton acabit.

— Tu te trompes ! Autrefois, il y a de cela très longtemps, nous étions jeunes et follement amoureux l'un de l'autre. Jusqu'au jour où nous avons eu une petite divergence d'opinions. Le classique, tu sais : le bon et le mal, la gentille et le méchant et finalement le blanc et le noir. Nous avons dû choisir, et moi j'ai choisi le côté noir, bien entendu.

— TU AS CHOISI LE CÔTÉ NOIR PARCE QUE TU N'ES QU'UN SOMBRE IDIOT ! VOILÀ POURQUOI ! hurla-t-elle. ET LE NOIR TE VA À MERVEILLE.

Kayla ne put voir, sous sa cagoule, le visage du mage tourner au rouge écarlate.

— Crois-tu que Marabus et moi avons tout simplement choisi, comme toi, lui demanda Kayla, entre le blanc et le noir ? Non ! Nous avons choisi la couleur du vainqueur, et ce n'est ni le blanc ni le noir, tu sauras !

Le mage fit quelques pas rapides dans sa direction, puis s'arrêta.

Par précaution, Tarass souleva son bouclier.

— Et qui est-ce, ce grand vainqueur de tout l'atoll ? voulut savoir le mage noir.

Kayla pointa dans la direction de son ami devant elle, Tarass.

Le mage noir s'esclaffa.

— QUOI ! TARASS KRIKOM ! CE JEUNE BLANC-BEC QUI DÉAMBULE SUR L'ATOLL AVEC COMME ARME UN SIMPLE PLAT À SERVICE ! TU VEUX RIGOLER ?

Tarass avait peine à contenir sa colère.

Le mage abaissa enfin sa cagoule.

Sa tête était complètement dégarnie de cheveux. Ses yeux étaient tout blancs, sans iris et sans pupilles. Ses oreilles aussi étaient disparues et il n'y avait, chaque côté de sa tête, que deux petits trous difformes.

— Oh ! d'accord, constata Trixx. Maintenant, je comprends.

Il arborait une grimace de dégoût.

— Moi, je croyais que tu portais une cagoule parce que tu faisais partie de la très très sélecte, HOU ! HOU ! caste des suppôts de Khan. En fait, je constate que c'est seulement pour cacher ton extrême laideur…

Le mage en avait assez entendu.

— Crois-tu, Kayla Xiim, être capable de battre le maître de ton maître ? Ce n'est pas une mince tâche, tu sais !

Kayla ne lui répondit même pas. Elle avança vers Tarass pour lui murmurer quelque chose à l'oreille.

Un grand sourire éclaira soudain le visage de son ami.

Tarass souleva son bouclier et frappa de toutes ses forces le plancher. Une profonde crevasse se forma très vite sur le tapis et fonça vers le mage noir, qui riait à gorge déployée.

— HA ! HA ! HA ! HA ! HA !

Le mage souleva ses deux bras et gueula très fort une incantation.

— SUROK-DAZ-MOR !

Sur sa tête et sur ses épaules, de jolis flocons de neige tout blancs tombèrent.

Paniqué, le mage noir étendit les bras.

— MAIS QU'EST-CE QUE ÇA SIGNIFIE ? voulut-il comprendre.

Il dévisageait, presque hystérique, Tarass et Trixx.

— VOUS DEVRIEZ TOUS LES DEUX BAIGNER ET BRÛLER DANS DES FLAMMES MORTELLES ! QU'EST-CE QUI SE PASSE ?

La crevasse l'atteignit. Il écarta les jambes de chaque côté pour conserver l'équilibre.

Kayla enleva le mandala collé à son front et s'approcha de lui.

— Je me suis jouée de toi, espèce d'imbécile, lui dit-elle. Ce n'est pas un mandala de barrage que j'ai utilisé sur moi, mais un mandala de neutralisation que j'ai utilisé… SUR TOI !

C'était le mage noir qui avait maintenant la mâchoire sur son torse.

Sous lui, la crevasse doublait d'envergure. Pour éviter d'être emportée dans les abîmes de la terre avec le mage, Kayla recula.

Par malheur, lorsqu'elle tenta de faire quelques pas pour se retirer, le mage noir tomba dans la crevasse et attrapa sa cheville. Kayla chuta sur le ventre. Dans un geste ultime de désespoir, elle parvint au dernier instant à saisir un des pieds du fauteuil. Mais ce n'était malheureusement pas suffisant pour la retenir. Le gros meuble glissait sur le tapis et menaçait de s'engouffrer avec elle.

Trixx bondit et mit tout son poids sur le fauteuil, qui stoppa aussitôt.

Tarass, lui, se jeta par terre et attrapa la main de Kayla. Pour la sortir de la crevasse, il conjugua toutes ses forces et tira. Mais c'était inutile, le poids du mage accroché à la cheville de son amie allait irrévocablement emporter Kayla dans l'abîme.

Tarass laissa à contrecœur la main de son amie et ramassa le grand livre sur la table pour le soulever au-dessus de sa tête près de la crevasse.

— TU PARS POUR UN TRÈS LONG

VOYAGE ET TU AS OUBLIÉ D'EM-
PORTER DE LA LECTURE ! cria-t-il au
mage, debout sur le rebord.

Puis, de toutes ses forces, il lança le
livre dans la crevasse. Frappé violemment
à la tête, le mage assommé lâcha la cheville
de Kayla.

Son corps chuta et frappa très fort un
côté de la crevasse, puis percuta l'autre côté
encore plus durement. Il dégringola de
cette façon jusqu'à ce qu'il disparaisse dans
les ténèbres.

Tarass attrapa les deux mains de son
amie et juste comme la crevasse se refermait, il la retira du gouffre.

Agenouillé devant elle, le visage tout
en sueur, il la regardait. Kayla lui sourit et
laissa tomber sa tête sur le tapis.

— DEUX ! s'exclama Trixx toujours
confortablement assis dans le grand fauteuil.

Tarass tourna la tête vers son ami tandis
que Kayla releva la sienne.

— Quoi, deux ? le questionna-t-elle.

— Nous avons rempli deux missions et
il nous en reste deux. La moitié du travail a
été fait.

Tarass et Kayla riaient.

— SUPER ! s'exclama Tarass en aidant Kayla à se relever. Nous avons un comptable maintenant avec nous.

— Les chiffres, je connais, c'est mon affaire, se vanta Trixx.

— Ah ouais ! s'étonna son ami Tarass. Il y a combien de jours que nous sommes partis alors, Bleu ?

Tarass lança un clin d'œil à Kayla. Il croyait avoir coincé son ami Trixx.

Elle fouillait son sac pour s'assurer de n'avoir rien laissé tomber.

— Sept cent soixante-dix-sept jours en ce qui te concerne, Tarass, lui répondit tout de suite Trixx. Et nous, sept cent soixante-seize, parce que nous sommes partis une journée plus tard.

Tarass n'en revenait tout simplement pas.

Kayla aussi en fut très étonnée.

— Et tu gribouilles ces chiffres où, dans quel livre ? Toi qui ne transportes que ton épée…

Trixx était un petit peu offensé.

— Là !

Il pointa le dessus de sa tête.

— Dans ma tête…

Tarass et Kayla se firent un petit geste très discret.

— Quelle est ma date de naissance ? lui demanda Kayla.

— Tu es la plus vieille de nous trois.

Kayla s'en offusqua.

— Tu es née le sept, pendant Paradia, la cinquième saison, en quatre mille vingt-deux. Tu as dix-neuf ans, tu as trois frères, deux sœurs, trente-deux cousins, quarante-trois cousines et un ongle incarné au pied droit…

Kayla était ahurie.

— Dix-huit paires de souliers, ce qui fait trente-six souliers. Il y a vingt-deux pièces dans la tour de Marabus où tu habites, cent quatre-vingt-trois arbres poussent entre la tour et le lac, dont trois mélèzes, deux bouleaux, quarante et un sapins…

— D'ACCORD ! hurla Tarass, fatigué d'entendre son ami. ÇA SUFFIT !

Kayla riait de stupéfaction.

— Mais comment fais-tu pour te rappeler tous ces chiffres sans te tromper ? voulut-elle savoir.

— C'est simple ! Ça se fait tout seul !

Je n'ai aucun mérite. Tu me donnes un nom à retenir, je l'oublie dans à peine quelques grains de sable du sablier. Tu ajoutes un chiffre ou un nombre après, et je m'en souviens toute ma vie. Je ne sais pas pourquoi, mais c'est comme ça…

Kayla le dévisageait…

— Tu savais ça, toi, Tarass ?

Elle se tourna vers lui.

— Bien sûr que je le savais ! Voilà pourquoi j'étais si bon en numérologie à l'école. C'était grâce à mon ami Trixx.

Kayla n'était pas très fière de ses amis.

— VOUS TRICHIEZ !

— Ouais, mais pas plus de trois fois par jour, lui répondit Trixx, et il n'y avait à cette époque que quatre jours d'école par semaine, ce qui nous faisait donc un total hebdomadaire de douze tricheries…

Tarass s'impatienta encore.

— Oui ! parfait ! merci, Trixx. Tout ce que je veux savoir maintenant, c'est combien de missions il nous reste avant de pouvoir déguerpir de cette contrée.

— Deux ! lui répondit son ami. Deux missions. Supprimer le dramon et détruire la pierre philosophale. En fait, une seule, puisque lorsque nous aurons tué le dramon, nous n'aurons qu'à jeter son corps dans la marmite pour ruiner la mixture qui crée les ograkks. Alors une seule mission, voilà…

Tarass se tourna vers Kayla

— Combien de temps avons-nous ?

Elle plongea la main dans son sac. La petite feuille de bouleau était maintenant rougie aux deux tiers.

Trixx l'examina puis se tourna vers Tarass.

— Quatre sabliers, pas plus…

Avec nous, tous en voiture

Tarass tira le grillage de l'entrée et passa la tête. Tout autour, un calme plat régnait. Tarass examina ensuite le ciel. Rien là non plus. Pas de krâlors ! Pas de dramon non plus !

— La voie est libre ! Nous pouvons sortir.

Hors de l'antre, ils se mirent tous les trois à gravir le flanc de la première colline. Parvenus au sommet, ils scrutèrent nerveusement l'horizon, à la recherche du dramon. D'entre les nuages, ils ne pouvaient apercevoir que le soleil qui dangereusement penchait vers l'ouest. Il se faisait tard, très tard.

— Et si cette créature était retournée à Drakmor ? Réfléchissait Trixx.

— Il nous faudrait trouver une autre façon de détruire la pierre philosophale, lui rappela Kayla.

Tarass fit un tour complet sur lui-même afin de scruter tout le panorama.

— Où est cette saleté lorsque nous en avons besoin ? s'emporta-t-il, la rage entre les dents.

— Pourquoi ne renversons-nous tout simplement pas la marmite au fond de l'antre ? Nous pourrions ensuite sceller l'entrée avec des débris de toutes sortes, ce n'est pas ça qui manque par ici.

— Parce que la pierre philosophale serait toujours efficace, même dans un million d'années. Tu t'imagines si, dans un futur plus ou moins rapproché, un autre tyran venait qu'à tomber sur cette dégueulasserie encore une fois ? Il y aurait une autre guerre comme celle-ci. La seule façon de s'assurer que les humains ne seront plus jamais transformés en ograkks est de détruire cette horrible mixture une fois pour toutes.

Tarass, qui tantôt bougeait nerveusement, venait subitement de s'immobiliser.
Kayla et Trixx s'approchèrent en douceur
vers lui.

— C'est le dramon ! demanda Trixx.

Il fixait lui aussi l'horizon avec Kayla.

— Non ! c'est quelque chose d'autre.

Tarass pointa vers le nord-est.

— Là-bas !

Au loin, ce qui semblait être un curieux
océan noir se rapprochait. Tarass entraîna
ses amis sur la colline voisine. Plus haute,
elle leur permettait de voir beaucoup
mieux, et plus loin.

Ce qui semblait être à première vue une
grande mare d'eau qui se mouvait était en
fait des centaines de milliers de krâlors.

Apeurés, Kayla et Trixx se tenaient
mutuellement les mains.

— Ils sont beaucoup trop nombreux,
Tarass, soupira Kayla, la voix chevrotante.
Je n'ai rien dans mon sac pour contrer l'at-
taque de cette horde déchaînée.

Tarass regarda son bouclier.

— Même si tu parvenais à frapper le
sol un millier de fois avec ton bouclier de

Magalu, ça ne serait pas suffisant, lui fit réaliser son ami Trixx.

La masse grouillante de krâlors se rapprochait de plus en plus.

— Il n'est pas question de baisser les bras ! Nous allons les combattre.

Kayla inspira profondément et posa sa main sur son épaule.

— Oui ! mais c'est comme si l'issue de la bataille est déjà toute tracée. Nous allons perdre, Tarass, c'est évident. Regarde !

Les krâlors s'étendaient tout autour de la chaîne de collines. Ils étaient partout.

Pris au piège avec ses amis, Trixx cherchait désespérément une façon de se dérober. Il alla nerveusement d'une colline à l'autre pour finalement constater qu'il n'y avait plus aucun moyen de fuir.

La situation semblait vouloir s'aggraver encore plus, car derrière la masse noire et frétillante apparut un long et très étrange serpentin qui s'amenait. Lui aussi, comme les krâlors, fonçait vers les collines en créant dans son sillage un grand nuage de poussière.

Lorsque Tarass concentra son regard sur le serpentin, il se rendit compte qu'il s'agissait en fait d'une caravane de gros objets qui arrivaient à toute allure… DES VOITURES !

Il y en avait plus d'une douzaine avançant à une vitesse fulgurante. Tarass en fut très étonné. Lorsque les voitures atteignirent les premiers krâlors, ils les frappèrent de plein fouet et les écrasèrent comme de vulgaires insectes. Des centaines de corps de créatures écrabouillées jonchaient maintenant le sol derrière le convoi destructeur.

Regroupés au sommet de la plus haute colline, Tarass, Kayla et Trixx attendaient tous les trois, prêts à combattre jusqu'à la mort.

Les krâlors n'étaient plus qu'à quelques dizaines de mètres seulement de la colline lorsqu'une voiture rouge parvint à leur hauteur, au sommet.

Tarass plaça son bouclier entre lui et l'objet, qui ronronnait tel un gros félin sauvage. De la fumée noire s'échappait de sa longue queue dressée vers le ciel.

— MAIS QU'EST-CE QUE C'EST QUE CE MONSTRE MÉTALLIQUE ? s'écria Kayla, épouvantée.

Trixx suivait avec son épée la voiture

qui tournait autour d'eux. Ses roues faisaient voler de la poussière partout.

Puis, elle tourna plusieurs fois sur elle-même et stoppa net devant Tarass, éberlué. À l'intérieur, il y avait un jeune homme aux cheveux hérissés et une fille à la chevelure orangée. D'autres voitures arrivèrent au sommet dans un vacarme infernal.

— VOUS AVEZ DEMANDÉ UN TAXI ? hurla le jeune homme.

La mare de krâlors gravissait maintenant le flanc de la colline. Tarass jeta des regards nerveux à ses amis, puis un au jeune homme.

— ALLEZ ! DÉPÊCHEZ-VOUS SI VOUS NE VOULEZ PAS VOUS FAIRE BOUFFER PAR CES SALES BESTIO-LES ! cria tout à coup la fille. EMBARQUEZ !

Des dizaines de tentacules gluants apparurent tout autour du sommet. Le jeune homme montra des signes d'impatience en apercevant les krâlors qui arrivaient.

— ALLEZ ! GROUILLEZ-VOUS !

Tarass n'eut plus vraiment le choix maintenant. S'il demeurait ici, il allait sans doute connaître avec ses amis une mort des plus atroce. Il fonça donc et pénétra à contrecœur dans la voiture. Derrière lui, Kayla et Trixx firent de même et embarquèrent dans une voiture jaune.

Le jeune homme poussa avec son pied sur une pédale et tourna une petite roue devant lui. La voiture fit un tour complet puis partit en trombe dans un boucan d'enfer.

À l'intérieur de la voiture, l'odeur était insupportable. Tarass boucha ses oreilles avec ses pouces et son nez avec ses petits doigts.

La voiture dévala la pente très rapidement, écrasant sur son passage des dizaines de krâlors. Assis derrière, Tarass sautillait sur la banquette. La voiture fit soudain un grand saut et il se frappa la tête au plafond.

— Ouais ! C'est un peu cahoteux, lui dit la jeune fille sans se retourner. Mais rassure-toi, ça ne sera pas très long.

Tarass bondissait chaque fois que la voiture écrasait un krâlor. Il s'agrippa à une poignée argentée et tourna la tête pour s'assurer que la voiture jaune dans laquelle se trouvaient ses deux amis suivait toujours derrière. Entre les nuages de poussière et de fumée, il l'aperçut.

Les voitures roulèrent pendant plus d'un demi-sablier avant de s'arrêter dans un coin retiré de la ville, près d'une grande construction délabrée.

De nouveaux amis

Une main mignonne aux ongles peints de plusieurs couleurs se tendit vers Tarass. Étourdi et le visage tout vert, il la saisit afin de s'éjecter de la voiture.

À peine eut-il réussi à se dresser sur ses deux jambes qu'il fut pris d'une envie incontrôlable de vomir.

— APPORTEZ UN SEAU, QUEL-QU'UN ! ordonna le jeune homme qui conduisait. Nous en avons un qui va dégobiller partout.

Tarass porta sa main à sa bouche et put néanmoins se retenir. De la voiture jaune, Kayla et Trixx sortirent dans le même état.

— TROIS SEAUX PLUTÔT ! riait le jeune homme.

Il tapa amicalement dans la main de son ami qui conduisait la deuxième voiture.

— MÉGA COOL, ALEX ! QUELLE COURSE !

Ce dernier était accompagné d'une fille curieusement accoutrée. Elle avait les cheveux mauves et verts et portait des lulus qui pendaient de chaque côté de sa tête.

La jeune fille à la chevelure orangée campa ses deux poings sur ses hanches. Elle ne semblait pas très contente. Ses grands souliers verts agissaient comme une plateforme et lui donnaient une stature plus impressionnante.

— XAVIER ! ALEX ! Vous voyez, c'est chaque fois la même chose. En voiture, vous ne faites que des conneries.

— Non mais, Zoé, dit le jeune homme, tu ne vas pas recommencer à critiquer ma façon de conduire, tout de même. Nous les avons sauvés d'une mort certaine ! Si nous n'étions pas intervenus, Tarass, Kayla et Trixx se seraient fait aspirer toute leur énergie vitale.

L'envie de vomir de Tarass venait soudain de disparaître. Il était très surpris de constater que cette joyeuse bande de jeunes les connaissaient, et connaissaient en plus leur prénom.

Des bruits dégoûtants retentirent lorsque Trixx pencha sa tête dans un seau.

— ET VOILÀ ! s'exclama Zoé. Vous êtes fiers ?

Xavier et Alex riaient…

La fille curieusement habillée s'approcha de Trixx et posa sa main sur son dos recourbé vers le seau.

— Ça va ? lui demanda-t-elle tout en douceur.

Trixx ne put que hocher la tête.

Son corps tressauta de nouveau et d'autres bruits dégoûtants se firent entendre.

Derrière lui, la fille grimaçait.

— C'est cela !

Elle tapota son dos affectueusement.

— Il faut faire sortir tout tout le méchant et ensuite, ça ira beaucoup mieux.

Trixx leva légèrement la tête.

— Comment tu t'appelles ? réussit-il à lui demander.

— 4-Trine, je m'appelle 4-Trine.

— Enchant…

Encore des gargouillis dégoûtants.

— Ils sont vraiment super, tes cheveux bleus.

Trixx resta muet et remua la tête en signe d'approbation.

— Merci !

Tarass s'approcha de Zoé.

— Mais dites-moi, comment vous avez fait pour savoir qui nous étions ?

La fille à la belle chevelure orangée fut très étonnée par la question de Tarass.

— Mais tout le monde sait qui vous êtes ! Toi, tu es le vrai Tarass Krikom, elle est Kayla Xiim le mage et celui qui est très malade, là-bas...

Trixx dégobilla encore.

— C'est ton ami Bleu, Trixx Birtoum ! Vous êtes les sauveurs de l'atoll. C'était dans tous les livres de prophéties à l'école.

Plusieurs jeunes se rassemblèrent autour d'eux, fiers de rencontrer le ravageur en personne. Tarass, qui en était un peu mal à l'aise, eut peine à cacher sa gêne. Il serra la main à tout le monde.

— Ils ont même fait, avant la guerre, une série télévisée sur vous et vos aventures tirées des livres de prophéties, lui apprit Alex. Le titre était…

Alex cherchait.

— La plus grande épopée de toutes, dit à Tarass son copain Xavier.

— Je n'en ai pas raté un seul épisode, ajouta Alex.

— Une… série… télévisée, hein ? répéta Tarass.

Il hocha la tête, car il ne comprenait rien de ce que lui racontait le jeune homme.

4-Trine s'approcha, elle aussi, de lui.

— C'est dommage qu'il ne soit plus possible de te montrer tout cela. Depuis la guerre, plus rien ne fonctionne correctement dans cette foutue contrée de malheur, même la télévision.

— OUI, MAIS TU OUBLIES LE JEU VIDÉO DU RAVAGEUR ! s'exclama Xavier. Il est toujours fonctionnel à l'arcade

Le visage de Zoé se dérida.

— OUI ! C'EST VRAI ! SUIVEZ-MOI !

Le centre commercial

D'un pas pressé, Zoé se dirigea vers le grand édifice.

Dans un très vaste emplacement ouvert, elle se faufila avec Tarass, Kayla, Trixx et tous ses amis entre des voitures rouillées en dégradation progressive. Placées côte à côte, il devait y en avoir des centaines, des milliers même.

La plupart étaient affaissées sur leurs quatre roues noires et molles. Leurs fenêtres étaient presque toutes fracassées. Abandonnées et balayées par les affres iné-luctables du temps, elles tombaient littéralement en décrépitude.

Zoé monta quelques marches, poussa une double porte, puis pénétra décidée dans un grand édifice. Tarass, qui la suivait de trop près, dut esquiver les portes qui se rabattaient vers lui rapidement.

Juste derrière lui suivaient ses amis Kayla et Trixx. Ce dernier, soutenu par 4-Trine, marchait avec elle bras dessus, bras dessous.

Zoé alla ensuite vers un très étrange escalier aux marches qui montaient comme par magie vers le haut.

— ATTENTION À LA PREMIÈRE MARCHE ! le prévint Zoé.

Elle posa les deux pieds dans l'escalier et s'éleva aussitôt.

Tarass sauta lui aussi sur une marche qui aussitôt l'emporta. Dans l'escalier qui montait, il avait peine à conserver l'équilibre. Pour ne pas tomber, il s'agrippa à la rampe noire qui montait elle aussi.

Kayla, Trixx et tous les autres s'engagèrent également dans l'étrange escalier mécanique.

Rendus à l'étage, ils arrivèrent tous au début d'un long passage bordé de chaque côté par ce qui semblait être des dizaines de commerces abandonnés. La plupart des portes qui s'y trouvaient avaient été arrachées de leurs gonds.

Derrière plusieurs grandes fenêtres crasseuses, Tarass pouvait apercevoir des statues penchées sans tête, habillées de robes poussiéreuses, de vêtements de toutes sortes sales et jaunis par le temps. Des mites volaient tout autour.

Derrière une autre fenêtre, il vit tout un bazar hétéroclite d'objets divers. Sur le sol parsemé d'éclats de verre, il y avait un amoncellement de casseroles, de marmites, de chaudrons et d'ustensiles de cuisine.

Plus loin, dans une aire ouverte, gisait pêle-mêle un fouillis d'appareils insolites. Pour Tarass, il était clair que ces objets bizarres étaient autrefois dotés de la magie de la technologie.

Zoé se glissa maintenant entre des tables poussiéreuses et s'arrêta devant le seul endroit éclairé de l'édifice. Tarass leva la tête vers les grosses lettres lumineuses qui clignotaient au-dessus de l'entrée.

— ARCADE ! parvint-il à lire, à demi ébloui.

Zoé poussa la porte…

— J'AI UNE TRÈS GRANDE SUR-PRISE POUR VOUS ! annonça-t-elle à plusieurs de ses amis assis devant de curieuses machines très bruyantes.

Elle restait là, souriante et tout excitée, en tenant la porte. Lorsque Tarass entra, tous les visages s'étirèrent d'ahurissement.

— Ta-Tarass Krikom ! bafouilla un garçon coiffé d'une casquette très usée. LE RAVAGEUR !

Après Tarass, Kayla et Trixx fran-chirent ensemble le seuil de la porte. Plusieurs portèrent une main à leur bouche en les apercevant.

Ils étaient tous muets d'émotion.

— NON ! s'exclama Zoé pour les sortir de leur inertie. Vos yeux ne vous jouent pas un sale tour, il s'agit bien des sauveurs de l'atoll, en personne.

Le garçon à la casquette s'avança vers Trixx puis se tourna vers Zoé.

— Mais lui ! Ce n'est pas Bleu, il est tout vert…

— C'est parce qu'il a très mal supporté sa petite balade en voiture avec ce maniaque d'Alex, lui dit Zoé.

Ils étaient là tous les trois, ces héros

que tant de livres avaient vantés. Plus personne n'osait prononcer le moindre mot.

Zoé s'approcha d'une des machines pour la montrer à Tarass. Sur une grande plaque lumineuse apparut soudain le nom que lui avaient conféré toutes les prophéties : LE RAVAGEUR !

Kayla et Trixx se rapprochèrent eux aussi de la machine. L'image changea ensuite et ils purent tous les trois voir des personnages dessinés qui les représentaient. Trixx oublia ses malaises et s'aventura à toucher l'écran. Il était chaud et dur.

— On dirait une grosse boule de cristal ! Est-ce qu'on peut y lire notre avenir ? demanda-t-il à 4-Trine qui était tout près de lui.

— Non ! Ce n'est qu'un simple jeu pour s'amuser.

Curieuse, Kayla toucha elle aussi l'écran.

— Mais comment ça fonctionne, cet appareil ? s'enquit-elle. C'est de la magie ou quoi ?

— Non ! lui répondit Zoé. C'est un

simple bidule électronique qui fonctionne à l'électricité. Il n'y a absolument rien de magique ici. D'ailleurs, tout ce qui se trouve ici dans l'arcade fonctionne à l'électricité. C'est le seul endroit dans le centre commercial, en fait dans toute la contrée, qui est encore doté d'énergie, et ça, grâce à notre as de la bricole, Zoumi.

Un garçon de petite taille glissa entre Alex et Xavier pour se présenter.

— Merci ! dit-il comme ça, sans raison.

Tarass le salua poliment.

— Tout fonctionne ici, merci, lui expliqua le petit Zoumi, parce que je suis parvenu à réparer la génératrice, merci.

Les yeux de 4-Trine roulèrent dans leur orbite.

— Zoumi, tu me fatigues comme ce n'est pas permis avec tes mercis à la fin de chacune de tes phrases, se plaignit-elle. Parfois, j'ai l'impression que le premier mot que tu as prononcé après ta naissance fut merci. Pas maman ni papa, NON ! Toi, tu as probablement dit MERCI !

— Oui peut-être, mais c'est grâce à lui que nous ne vivons pas dans la noirceur totale, lui rappela Zoé. Il ne faut pas l'oublier.

Tarass se rappela soudain que le temps s'écoulait rapidement.

— Je suis plus qu'enchanté d'avoir pu faire votre connaissance, sincèrement, leur déclara Tarass en les regardant tous dans les yeux l'un après l'autre. Et je tiens à vous remercier de nous avoir sauvés d'une mort certaine. Kayla, Trixx et moi, nous en serons éternellement reconnaissants. Mais le temps presse, nous devons partir.

Kayla enchaîna.

— Vous pouvez peut-être cependant encore nous aider, leur expliqua Kayla. Avant de poursuivre notre périple jusqu'à Drakmor, nous devons à tout prix retrouver ce dramon qui rôde dans les alentours tel un vautour. De grandes ailes raides, trois têtes et une longue queue écailleuse, ça vous dit quelque chose ?

Zoé et 4-Trine se jetèrent discrètement un regard.

— NON ! répondit sèchement Zoé. Nous ne pouvons rien pour vous.

— NON ! répéta 4-Trine aussi froidement.

Kayla ne savait plus quoi dire. Le ton

amical de ses jeunes hôtes venait de changer radicalement. Pourquoi ? Elle dirigea son regard vers Tarass.

— Bon ! dit-elle tout bas. Nous devons malheureusement partir. Merci pour votre accueil et surtout, merci aussi de nous avoir sauvés.

Mais lorsque Kayla fit un pas en direction de la porte, Zoé s'écria.

— HOLÀ ! mais où allez-vous ?

Kayla s'arrêta sans se retourner.

— Oui ! poursuivit 4-Trine. Nous avons dit que nous ne pouvions pas vous aider, c'est vrai. Mais nous connaissons quelqu'un qui le peut.

Les deux filles éclatèrent d'un rire victorieux.

— Ce n'est pas croyable ! Nous avons réussi à niaiser les sauveurs de l'atoll. COOL !

Elles se tapèrent toutes les deux dans les mains.

Trixx les observait d'une mine déconfite.

— Ça y est ! Nous sommes tombés sur des folles...

4-Trine s'avança vers lui, sourire aux lèvres.

— Et ne l'oublie jamais !

Elle éclata d'un rire encore plus toni-
truant.

Pendant que Zoé et 4-Trine se bidon-
naient, Alex s'approcha de Tarass.

— Vous tenez vraiment à trouver ce
dramon de malheur ? Alors, vous devez à
tout prix parler à nos deux spécialistes dans
le domaine. Les créatures monstrueuses et
les bêtes dangereuses, ça les connaît, très
bien même. Soyez-en assurés. Ils en ont
tant chassé et tant exterminé.

Kayla en fut très surprise.

— Qui sont ces grands guerriers ?
demanda-t-elle, très curieuse.

— Ils s'appellent Jean-Christophe et
Marjorie. Ici, nous les surnommons Les
téméraires…

Zoumi s'approcha d'eux avec un pla-
teau rempli de verres qui contenaient un
liquide rafraîchissant jaune clair.

— Limonade, quelqu'un ? Merci !

Les téméraires

Tarass, Kayla et Trixx suivaient Alex qui, avec ses longues jambes, gravissait deux par deux les barreaux d'une très longue échelle.

— Cette pièce mansardée nous sert de quartier général et d'abri si le besoin se fait sentir, leur expliqua Alex sans ralentir la cadence. Surtout lorsque des hordes de méprisants ograkks rôdent.

Alex les guida à travers un enchevêtrement de poutres jusqu'à une mezzanine cachée dans l'ombre des structures de l'immeuble, ensuite au bout d'une passerelle jusqu'à une solide porte de métal renforcée.

Il souleva un gros butoir et le laissa

tomber lourdement sur la porte. Le bruit se répandit partout dans l'immeuble.

De derrière la porte, des pas résonnèrent. Un petit judas s'ouvrit puis se referma aussitôt. Ensuite, trois gros loquets se firent entendre et la porte s'ouvrit, de quelques centimètres seulement.

— MOT DE PASSE ? lança à la blague un jeune homme grand et plutôt costaud.

Mais lorsqu'il aperçut Tarass derrière Alex, il n'attendit pas la réponse et ouvrit toute grande la lourde porte.

— TARASS KRIKOM ! s'exclama-t-il en lui serrant la main. LE RAVAGEUR LUI-MÊME. Moi, je suis Jean-Christophe.

Tarass le salua respectueusement.

À la porte, à côté de Jean-Christophe, arriva en courant une jeune fille.

— Je te présente Marjorie.

Tarass lui sourit.

Elle lui renvoya son sourire.

Jean-Christophe crispa soudain les yeux d'incertitude.

— Dis-moi, Alex, s'enquit-il avec méfiance. Il ne s'agit pas encore d'une plaisanterie de ces deux petites idiotes en bas, Zoé et 4-Trine ?

— NON ! juré craché, affirma Alex d'un air grave. Ce sont bien eux, Tarass, Kayla et Trixx, les sauveurs de l'atoll dont tous les livres de prophétie parlent.

Jean-Christophe ouvrit tout grand la porte pour les laisser entrer.

— Mais que nous vaut l'honneur de votre visite, voulut savoir Marjorie, impressionnée par leur présence. Il est trop tard pour nous. Khonte Khan s'est emparé de notre contrée depuis longtemps maintenant.

— NON ! la guerre n'est pas encore tout à fait perdue, Marjorie, lui répondit Tarass avec assurance et conviction. Nous avons libéré tous les prisonniers et tué le mage noir qui était le symbole d'autorité et de pouvoir de Khan dans votre contrée. En plus, en éliminant ce mage démoniaque, nous nous sommes aussi débarrassés de celui qui renflouait d'ograkks les armées du conquérant. Vous savez ce que cela signifie ? Plus d'ograkks, plus de guerre. Il ne nous restera qu'à exterminer ceux qui ont déjà été transformés. Plus aucun humain ne sera transformé en ograkks si nous parvenons à tuer le dramon et à le jeter dans la marmite du mage. Le corps du dramon annihilera pour toujours les effets néfastes de cette mixture répugnante.

— Il nous faut coûte que coûte trouver ce dramon, insista Kayla, et vite !

— Je sais où chercher pour trouver une réponse ! s'exclama Marjorie. Mon ordinateur !

Elle se jeta vers un pupitre sur lequel était posée une plaque lumineuse comme celle de la machine étrange de l'arcade. Devant la plaque, elle s'assit et commença à pianoter sur une curieuse planche recouverte de petits cubes qui s'enfonçaient lorsqu'elle y posait les doigts.

— C'est certain que depuis le début de la guerre, nous ne pouvons plus surfer sur le Net, mentionna avec regret Marjorie, mais rassurez-vous, avant que tout soit arrêté, nous avons pu stocker le maximum d'informations. Vous verrez, j'ai pas mal de réponses dans mon ordinateur.

Elle appuya ensuite sur un rectangle et une image du dramon apparut sur la grande plaque lumineuse.

— VOILÀ ! s'écria Jean-Christophe. Tu l'as trouvée, Marjorie.

— BON ! dit-elle en se frottant les mains. Qu'est-ce que vous voulez savoir ?

— Où se cache-t-il ? lui demanda Tarass. Où les dramons ont-ils l'habitude de se terrer ?

Elle poussa encore quelques cubes. Cette fois-ci, un texte apparut sur la grande plaque, qu'elle se mit tout de suite à lire.

Elle promena longuement son index sous les lignes avant de finalement trouver.

— ZUT !

— QUOI ? voulut savoir Jean-Christophe.

— Jamais personne n'a pu trouver le repaire ni le nid de ces créatures volantes autrefois faussement qualifiées de légendaires.

Tarass poussa un très long soupir d'insatisfaction.

— On ne pourra rien faire, Tarass, réalisa aussi avec regret Trixx.

Les yeux de Kayla s'étaient fermés.

— NON ! ATTENDEZ ! s'écria soudain Marjorie. Il est écrit que pour infailliblement attirer un dramon hors de son repaire, il faut utiliser des roses. Les dramons, et je cite, « sont irrésistiblement attirés par le savoureux et doux bouquet de ces jolies fleurs ». VOILÀ ! Vous savez maintenant comment faire sortir de son repaire cette saloperie.

Près d'elle, Tarass demeura impassible. Il ne semblait pas du même avis que Marjorie.

— BIEN QUOI ! voulait-elle comprendre. Vous avez la solution.

— Ah oui ? Et où crois-tu que nous allons trouver plusieurs bouquets de ces merveilleuses roses ? Je ne sais pas si tu as remarqué, mais à cause des radiations, il n'y a plus grand-chose qui pousse dans ta contrée, à part quelques fougères mutantes orange…

— En fait, précisa Jean-Christophe, il n'y a absolument rien, pas même des petites brindilles d'herbe.

Tarass arpentait la pièce et réfléchissait.

Tout à coup, le visage de Marjorie s'éclaira d'une idée ingénieuse.

Elle bondit de son siège.

— VENEZ ! Allons faire du magasinage…

Des roses, ou presque

Dans le grand passage, ils couraient tous derrière Marjorie.

— Mais où nous amènes-tu comme ça ? demanda Jean-Christophe, essoufflé. Il n'y a pas de fleuriste dans le centre commercial, je le sais et tu le sais. Nous l'avons exploré de fond en comble.

— Ce n'est pas un fleuriste que je cherche, c'est…

Elle s'arrêta brusquement au milieu de sa phrase et devant… UNE PARFUMERIE !

— TOC ! pointa-t-elle le commerce avec son index. Je vous promets que nous allons trouver là, dans cet endroit, un parfum enivrant aux doux effluves de roses…

Tarass poussa la porte et se jeta à l'intérieur. Partout, sur des dizaines d'étagères, reposaient des centaines de petites bouteilles colorées aux formes sinueuses.

Lorsqu'elle aperçut la quantité phénoménale de petits flacons, les bras de Kayla tombèrent inertes de chaque côté de son corps.

— MAIS NOUS ALLONS Y PASSER TOUTE NOTRE VIE ! braila-t-elle.

Alex saisit une première bouteille et l'ouvrit. Il plaça ensuite son nez au-dessus du goulot et flaira le contenu.

— POUAH ! se plaignit-il. Celui-ci sent la vieille couche de bébé, pleine de vous savez quoi…

Trixx ouvrit lui aussi une bouteille et la porta sous son nez.

— YARK ! celui-ci est rance.

Tarass leva les yeux vers une étagère placée très haute au mur.

— J'AI TROUVÉ ! s'écria-t-il sans même avoir touché une seule bouteille.

Tous s'approchèrent de lui. Il se jucha sur la pointe des pieds et finalement en prit une. Elle avait la forme très vague d'une fleur et elle était rose, en plus. Il souffla la poussière qui la recouvrait et la montra à ses amis.

— Ouvre-la et sens, pour en être certain, lui conseilla Kayla.

Il tourna le petit bouchon à la forme de pistil et sentit le contenu. Il ferma les yeux. Le parfum lui rappelait les fleurs du jardin de sa mère Coraline... L'ODEUR DES ROSES !

— Et puis ? insista Trixx.

Tarass remua la tête de haut en bas plusieurs fois, puis sourit.

Il ramassa toutes les bouteilles et se tourna vers Alex.

— Nous allons avoir besoin de vous, et de vos voitures...

Le piège à dramon

Tarass, Kayla et Trixx étaient tous les trois juchés sur le toit d'une voiture abandonnée dans la rivière lumineuse près de la ville. À l'horizon, le soleil se couchait de plus en plus. Tarass trouvait presque jolie la rivière contaminée qui serpentait et brillait au loin comme une multitude de chandelles.

Kayla examina la petite feuille de bouleau. Elle était presque complètement rouge. Seule la pointe restait verte. Elle la rangea dans son sac. Profondément préoccupée, Kayla savait que s'ils ne parvenaient pas à quitter la contrée avant que la feuille ne devienne complètement rouge, ils allaient, tous les trois, devoir passer le reste de leur vie ici, dans ce triste et très morne décor.

Trixx fouillait de son regard vigilant toutes les grandes constructions de la ville devant lui.

— Tu crois que le repaire du dramon se trouve dans la ville ?

— Non ! lui répondit son ami.

Trixx se tourna vers le pont effondré.

— Entre les débris du pont alors ? demanda à son tour Kayla.

— Non !

Trixx fit ensuite un tour complet sur lui-même.

— Mais où, dans ce cas ? À part les grandes constructions et le pont, il n'y a pas d'endroit où elle pourrait se cacher.

— Si ! réfléchissez, mes amis. Il y a plusieurs millénaires que ces créatures existent et jamais personne n'a pu trouver un seul repaire. Vous ne trouvez pas cela étrange ?

Kayla et Trixx réfléchissaient.

— Et ce n'est pas parce que ce dramon a des ailes qu'il faut regarder en haut.

Ils baissèrent tous les deux la tête et fixèrent la surface de l'eau.

— Vous avez trouvé, comme moi. Il se cache sous l'eau, et son lit est le lit de la rivière.

Kayla regardait maintenant la surface de l'eau partout autour d'elle.

— POUAH ! cette voiture empeste vraiment très beaucoup les roses, se lamenta tout à coup Trixx. Tu crois que c'était vraiment nécessaire de vider toutes les bouteilles sur la carrosserie ?

— Absolument ! Je ne veux pas rater mon coup. Il faut que cette hydre sorte de son repaire, et très vite.

— Euurrh ! cracha Trixx. Je crois que je vais vomir.

— ENCORE ! s'exclama Kayla, découragée.

À quelques dizaines de mètres à peine devant la voiture, juste à côté du pont, une grosse bulle éclata à la surface. Tarass la remarqua. S'agissait-il seulement d'une simple poche de gaz comme il y en avait tant dans le cours d'eau ? Il ne pouvait pas vraiment savoir. Il concentra tout de même son regard sur ce secteur et demeura très attentif.

Une autre bulle creva encore la surface au même endroit, puis deux autres. Maintenant, il en avait la certitude. Il fit lentement pivoter son bouclier pour le placer sous son menton. À sa droite, Trixx dégaina sa longue épée bleue.

Comme c'est souvent le cas avant une terrible tempête, un grand calme, presque glacial, survint. Rien ne se produisit pendant plusieurs grains de sable du sablier. Puis une énorme bulle apparut, suivie d'un gros bouillon qui s'étendit de plus en plus à la surface.

Enfin, comme dans le pire de tous les cauchemars, le dramon sortit des profondeurs dans le plus assourdissant des mugissements.

Devant la voiture, il déploya ses longues ailes raides. Poussée par le souffle violent, Kayla perdit l'équilibre et chuta dans l'eau.

Les trois têtes du dramon foncèrent vers Tarass et Trixx. Tarass plaça juste à temps son arme devant son visage. Deux des trois têtes percutèrent violemment le bouclier, mais renversèrent Tarass qui tomba lourdement sur le toit de la voiture.

Trixx, qui balançait son épée dans le vide de gauche à droite, parvint d'un coup de chance à trancher l'une des trois têtes. Juste comme il croyait qu'il n'en restait que deux à couper, deux autres poussèrent à la place. Elles étaient maintenant quatre à attaquer.

L'immense créature battait des ailes et soulevait de grandes vagues. Dans l'eau jusqu'au cou, Kayla s'agrippait du mieux qu'elle le pouvait à la carrosserie.

Le dramon chargea Tarass qui, dans un ultime geste de défense, trancha deux têtes d'un seul coup de bouclier. Mais avant que les deux têtes n'aient atteint la surface de la rivière, quatre autres avaient poussé. Le dramon en possédait maintenant six.

Lorsque Trixx s'élança pour en débiter une autre, Tarass l'arrêta avec son bouclier. Les deux armes s'entrechoquèrent bruyamment.

— MAIS QU'EST-CE QUE TU FAIS ? vociféra son ami.

— C'EST INUTILE ! lui cria Tarass. CHAQUE FOIS QUE TU EN COUPES

UNE, DEUX REPOUSSENT. NOUS N'Y ARRIVERONS JAMAIS !

Pendant que les mâchoires du dramon claquaient dans le vide autour de lui, Tarass attrapa Kayla d'une main et balança son bouclier de gauche à droite avec l'autre. Le signal venait d'être donné à Alex et sa bande.

Sur le rivage, cachées sous de longs pans de tissu, cinq voitures démarrèrent en trombe. Derrière elles, de longues chaînes traînaient jusqu'à la voiture de Tarass, Kayla et Trixx, qui s'agrippèrent à la carrosserie pour encaisser le choc. Lorsque les chaînes furent complètement tendues, leur voiture glissa subitement hors de l'eau et partit elle aussi à toute vitesse. Le dramon s'envola très haut dans le ciel, puis se précipita vers eux en rase-mottes. Avec une grande précision, elle se posa sur le toit de leur voiture.

Alex et ses amis foncèrent à toute vitesse vers l'antre et ainsi vers la marmite. Derrière eux, Tarass et Trixx se bagarraient frénétiquement avec le dramon. L'une des têtes de la créature était parvenue à happer l'épée de Trixx. Tarass lui asséna plusieurs coups de son bouclier jusqu'à ce que finalement, elle lâche prise.

De sa voiture, Alex gardait un œil sur son rétroviseur. Derrière lui, la bagarre faisait rage et Tarass et ses deux amis combattaient les six têtes enragées du dramon avec acharnement. Six contre trois ! La grande créature était sur le point de l'emporter sur les sauveurs de l'atoll.

Alex se devait de tenter une manœuvre. Il tourna le volant et changea subitement de direction, imité par les quatre autres.

La voiture de Tarass glissa et changea rapidement de cap elle aussi. Le dramon fut violemment projeté sur le sol et son corps exécuta plusieurs tonneaux. Animée de rage, la créature se releva puis s'envola de nouveau. Rien, absolument rien ne semblait pouvoir arrêter ce monstre.

Les six voitures roulaient maintenant entre les collines, toujours poursuivies par le dramon qui zigzaguait au-dessus d'elles. L'entrée de l'antre n'était plus qu'à quelques centaines de mètres lorsque la voiture d'Alex fit une embardée. Sa déroute emporta aussi, malgré eux, les quatre autres bolides dans un dérapage incontrôlable. Dans un vallon, entre deux collines, s'éleva soudain un épais nuage de poussière.

Le dramon traça de grands cercles dans le ciel, le temps de laisser la poussière retomber sur le sol. Lorsqu'il aperçut, entre les carcasses disloquées des voitures, Tarass et ses amis qui gisaient à demi conscients, il plongea tel un aigle sur sa proie.

Tarass secoua la tête et ouvrit les yeux. Venant de l'ouest, il remarqua une grande tache noire qui grandissait à vue d'œil. C'était le dramon qui revenait à la charge, encore une fois.

Il chercha nerveusement autour de lui son bouclier, mais il ne le trouvait nulle part. Alors qu'il semblait condamné, un grondement lointain se fit entendre. Tarass leva la tête et aperçut dans le ciel une curieuse machine volante qui volait en direction du dramon.

En rampant frénétiquement sur le sol, il parvint à mettre à l'abri ses amis Kayla et Trixx sous une voiture renversée.

La grande créature les atteignit, mais

ne s'arrêta point. Elle passa rapidement à quelques mètres de leur cachette, poursuivie par la machine volante. Tarass s'extirpa très vite de son trou pour regarder. Sur la machine volante, il put apercevoir une lettre et deux chiffres : F 18.

— MAX ! LE PILOTE D'AVION ! se rappela-t-il. C'EST MAX !

Le chasseur F-18 de Max talonnait le dramon qui maintenant tenait le triste rôle de la proie. Lorsque la créature ailée arriva au-dessus de l'embouchure de l'antre, une double déflagration résonna. De sous la machine volante, deux lances effilées furent décochées. Au bout d'à peine quelques grains du sablier, elles frappèrent toutes les deux de plein fouet le dramon et une terrible explosion s'ensuivit. Les ailes de la créature se brisèrent et elle chuta en plein dans la grande ouverture béante de l'antre.

Sans attendre, Tarass courut jusqu'à l'ouverture et se pencha dans le gouffre. Dans un ultime geste de désespoir, le dramon était parvenu à s'agripper au rebord du trou. Tarass s'approcha de ses longs doigts crochus et les martela avec ses pieds jusqu'à ce qu'elle lâche prise et bascule dans le vide.

Plus bas, le dramon se débattit furieusement, mais plongea malgré lui dans la marmite et s'enfonça dans la mixture de la pierre philosophale. Il disparut sous la surface du répugnant liquide dans un interminable hurlement, presque humain.

Lorsque Max passa dans sa machine volante juste au-dessus de la tête de Tarass, celui-ci leva le poing vers le ciel en signe de victoire…

Doucement, Tarass souleva la tête de son amie Kayla pour lui tapoter délicatement les joues. Lentement, elle finit par ouvrir les yeux.

— C'est terminé, Kayla, nous pouvons partir.

Elle souriait à Tarass. Dans sa main droite, elle tenait la petite feuille de bouleau. Elle était presque toute rouge.

Sous la voiture, derrière lui, Trixx revenait à lui. Lorsqu'il voulut se lever trop vite, il se frappa la tête.

— OUCH !

— Est-ce que ça va, Bleu ? s'informa son ami. Pas trop de mal ?

Il grommela et se frotta les cheveux. C'était bon signe. Sous son ami, Tarass remarqua son bouclier à demi enfoui dans le sol.

Alex et ses amis sortirent tous les cinq des voitures renversées en riant.

— QUELLE BALADE ! s'exclama Alex, le visage tuméfié. NON MAIS, QUELLE BALADE !

En plus, il boitait.

— CE N'ÉTAIT PAS UNE COURSE DE GRANDS-MÈRES EN FAUTEUILS ROULANTS, ÇA ! ajouta son ami Xavier, le front traversé par une longue égratignure. NON MONSIEUR…

Les trois autres étaient aussi amochés qu'eux.

Alex étira soudain le cou en direction de la ville. Les traits du visage de Tarass tombèrent d'exaspération.

— LES KRÂLORS ? s'inquiéta Tarass. NE ME DIS PAS QU'IL S'AGIT ENCORE DE CES DÉGOÛTANTES TORTUES MUTANTES QUI S'AMÈNENT À NOUVEAU ?

Alex se leva difficilement sur la pointe des pieds, puis retomba en se frottant la cuisse.

— NON ! Il y a un nuage de poussière qui arrive vers nous, mais je crois que ce sont des voitures…

Alex avait vu juste. Le vrombissement des moteurs se faisait de plus en plus audible. Quatre voitures arrivaient à fond de train. La première ralentit sa course effrénée juste devant Tarass, toujours agenouillé sur le sol avec Kayla entre ses bras.

Zoé et 4-Trine s'éjectèrent du véhicule avant même qu'il ne se soit complètement arrêté.

— LES ENFANTS ! s'écria Zoé, affolée. ILS SONT SUR LE POINT D'EMPORTER TOUS LES ENFANTS HORS DE LA VILLE !

Tarass se releva et aida Kayla.

— OÙ ? voulut-il savoir.

— VERS DRAKMOR !

— Vous en êtes certaine ? Comment vous savez ? demanda Kayla.

— Nous avions un espion caché.

— NON ! cria à son tour Tarass. OÙ SONT-ILS EN CE MOMENT ?

— Au vieux port de marchandises, répondit 4-Trine. De l'autre côté de la ville.

Kayla examina, terrorisée, la petite feuille de bouleau.

— Nous n'aurons pas le temps, chuchota-t-elle à Tarass. Il nous reste tout au plus un sablier.

Tarass regarda Alex droit dans les yeux.

— TU CONNAIS UN RACCOURCI, TOI ?

Alex lui sourit.

— Les raccourcis, moi, se vanta-t-il en se précipitant vers la voiture la plus proche, lorsqu'il n'y en a pas, je les fabrique au besoin.

Tous entassés dans les voitures, ils filèrent en direction du port.

Tarass rampa avec les autres sur le toit d'un grand hangar désaffecté du port. Au loin, il aperçut le soleil qui, maintenant, touchait presque l'eau.

Dans la baie, entre des débris de toutes sortes qui flottaient, plusieurs épaves inclinées de bateaux, à demi englouties, pointaient leur proue brisée vers le ciel.

Sur le quai, à l'aide de grues, des ograkks faisaient monter de grands caissons de bois à bord d'un navire de commerce délabré et manifestement en très mauvais état.

Tarass, Kayla et Trixx cherchaient partout nerveusement.

— Mais ! finit par murmurer Kayla. Où sont les enfants ?

— Dans les caissons ! lui répondit Zoé. Ils ont enfermé les enfants dans les caissons, ces salopards…

Tarass fulminait.

Il ferma les yeux, les rouvrit, puis sauta du toit sans prévenir ses amis.

— Noooon ! tenta de le retenir Trixx.

Mais il était trop tard.

Lorsque les deux pieds de Tarass percutèrent lourdement le sol, tous les ograkks se tournèrent vers lui.

Kayla et Trixx atterrirent près de lui.

Les ograkks s'esclaffèrent en les apercevant, ce qui rendit Tarass encore plus furieux. Lorsque Tarass fit un pas dans leur direction, un retentissant grincement résonna dans toute la baie. La grande porte d'un hangar glissa soudain bruyamment. Les ograkks se réjouirent de façon tapageuse lorsqu'apparurent deux humanoïdes gigantesques.

Les Zarkils

— OH NON ! s'écria Alex du toit. ILS ONT DES ZARKILS !

Ces géants musclés à l'œil unique valaient à eux seuls une armée d'ograkks.

Dos courbé, massue pourvue de pics mortels à la main, ils avançaient lourdement vers Tarass, Kayla et Trixx.

Voyant que la situation était des plus sérieuse, Tarass frappa le sol aussitôt avec son bouclier. La crevasse se forma et fonça vers les grands monstres. Un des géants souleva sa lourde massue au-dessus de sa tête et frappa le sol lui aussi. La crevasse bifurqua vers un camion qu'elle engloutit à l'instant.

Le deuxième géant lança de toutes ses forces sa massue dans leur direction.

Tarass hurla à pleins poumons.

— ATTENTION !

Les trois guerriers parvinrent à se soustraire de la trajectoire de l'arme en se laissant choir sur le sol.

La massue frappa le mur derrière eux, qui s'écroula aussitôt. Tarass leva la tête vers la grosse arme qui, curieusement, bougeait entre les débris.

Une longue chaîne y était attachée et la reliait au géant qui la tirait vers lui. Tarass bondit et coupa un maillon avec son bouclier. Le géant gronda son mécontentement.

Tel un fouet, il fit claquer le bout de chaîne sous son bras et parvint à l'enrouler autour du bras de Tarass. Trixx se releva et fit longuement virevolter son épée autour de lui afin qu'elle prenne de l'amplitude. Il frappa ensuite la chaîne de toutes ses forces. Tarass était de nouveau libre.

Le premier géant s'amenait, sa massue bien dressée au bout de ses deux bras puissants. Kayla, toujours étendue sur le ventre, gribouillait frénétiquement un mandala. Le géant rabattit furieusement son arme vers elle. Kayla exécuta vite une roulade et hurla une incantation.

NERO-KRE-MUIN !

Lorsque la massue du géant percuta le mandala, un jet puissant de lave bouillonnante gicla du sol. Aspergé par le magma, le géant vacilla et se tordit de douleur. La lave traça son chemin jusqu'à son squelette, qui retomba tout fumant sur le quai. Il n'en restait qu'un. Les ograkks crièrent leur colère.

— RHAAAAA ! RHAAAAAA !

Devant eux, l'autre géant, bras dressé, hurla lui aussi sa rage.

— GROOOOUUUAAA !

Tarass et Trixx profitèrent de cette chance pour attraper la chaîne attachée à son poignet. Ensemble, ils tirèrent avec toute leur énergie, mais ce fut insuffisant. Le géant possédait une force herculéenne et c'était plutôt lui qui les traînait comme de simples chiots au bout d'une laisse.

Lentement mais sûrement, il les attirait vers lui. Du toit du hangar, Alex et ses amis s'élancèrent et attrapèrent chacun un maillon de la chaîne. Dominé par ses ennemis, le géant glissait maintenant sur le bois humide.

— VERS LE JET DE LAVE ! VERS LE JET DE LAVE ! hurla Tarass. IL FAUT LE TIRER VERS LA LAVE !

Soudain, le géant stoppa net, car il était parvenu d'une manière inopinée à saisir un gros câble qui pendait d'un navire à une amarre. Trixx saisit son épée et se précipita. Des ograkks qui accouraient à la rescousse du géant changèrent de cap et foncèrent maintenant vers lui. Un combat sanglant s'engagea.

Vif comme un éclair, Trixx exécuta une vrille et décapita trois de ses adversaires d'un seul coup de sa lame. Autour de lui, leurs membres frémissaient de façon tout à fait répugnante.

Un quatrième ograkks en furie brandit sa hache de combat et se précipita vers lui en vociférant d'horribles menaces.

— TU ES MORT ! JE VAIS TE RÉDUIRE EN BOUILLIE ET TE DONNER EN PÂTURE AUX KRÂLORS !

Trixx jongla avec son épée et, avec une foudroyante soudaineté, le frappa plusieurs fois. L'ograkks connut le même sort que les autres et s'écroula, en pièces détachées, sur le sol lui aussi. Les derniers, impressionnés par tant d'adresse et de dextérité, reculèrent, effrayés.

Lorsque Trixx s'élança près du géant et coupa le câble, Tarass ordonna à ses amis de tirer.

— ALLEZ ! PRÉPAREZ-VOUS !

Ils gonflèrent tous leur torse et, au signal de Tarass, donnèrent ensemble un grand coup.

— MAINTENANT !

Le géant tomba lourdement sur le sol et glissa maintenant vers le jet de lave. Il gratta le sol frénétiquement et tenta de s'agripper. Mais comme le premier, il connut une fin atroce. Il se consuma lui aussi jusqu'à ce qu'il ne reste que son squelette…

Les derniers ograkks se regroupèrent pour lancer une ultime offensive. Ils étaient tous là au bout du quai, plus d'une cinquantaine, armés jusqu'aux dents. Une rage sans bornes les animait et ils donnèrent l'assaut.

Comme un troupeau de taureaux fous en déroute, ils se ruèrent en direction de Tarass, Kayla et Trixx.

Une flèche siffla près de l'oreille de Tarass, puis une autre se planta entre ses jambes. Ça chauffait beaucoup trop ! Une lance percuta ensuite son bouclier et retomba pointe émoussée sur le sol.

— PLANQUEZ-VOUS ! hurla-t-il à ses amis avant de se catapulter derrière le hangar.

Plusieurs flèches se plantèrent sur le mur juste comme il contournait le bâtiment. À l'écart, Kayla lança plusieurs mandalas chiffonnés en boule et hurla une incantation.

— MAKI-DO-TERA !

Les planches du quai s'écartèrent et plusieurs ograkks tombèrent dans l'eau luminescente de la baie. Un ograkks parvint cependant à sauter par-dessus la brèche. Sa hache mortelle se planta à seulement quelques centimètres de la tête de Kayla, qui s'écarta juste à temps.

Suspendu dans le vide, la main enroulée autour du manche de son arme, l'ograkks s'agrippait.

Tarass lui assena plusieurs bons coups de son bouclier, jusqu'à ce que la créature lâche prise. L'ograkks tomba et son corps sombra dans les profondeurs.

Un ograkks reçut tout à coup sur la tête un bout de gros tuyau. Il s'écroula mort sur le coup. Du toit du hangar pleuvaient maintenant sur la tête des autres des débris de toutes sortes. C'était Alex et ses amis qui se lançaient dans la bataille…

Avec une facilité déconcertante, ils parvinrent à assommer la plupart des ograkks jusqu'à ce qu'il n'en reste que trois, réfugiés à l'abri sous une corniche, devant une fenêtre. Trois qui, cependant, étaient prêts à vendre très chèrement leur peau.

De l'autre côté du trou créé par le mandala de Kayla, Tarass se bagarrait à bout de bras avec eux. La lance de l'un d'eux écorcha sa cuisse. Avec son bouclier, même magique, il n'avait pas la portée que les trois ograkks avaient avec leur longue lance.

Trixx savait que son ami ne viendrait pas à bout de ses trois adversaires dans cette position. Il tourna soudain les talons, et partit en longeant le mur.

Tarass lui lança un regard légitimement inquiet.

— MAIS OÙ TU VAS ? lui cria-t-il. RESTE AVEC NOUS !

— J'AI UNE IDÉE ! lui répondit-il avant de disparaître derrière le coin de la grande construction.

Dans le hangar, entre les caisses de marchandises oubliées, il se fraya un chemin jusqu'à une fenêtre opaque de saletés. Là, il lança son épée et fracassa la fenêtre. De l'autre côté du mur, son arme embrocha les trois ograkks qui s'écroulèrent, morts sur le coup.

Les derniers ograkks éliminés, les enfants venaient tous, d'un seul coup d'épée, d'être sauvés...

Du toit du hangar, des applaudissements vigoureux fusaient.

Le poisson de métal

Tout le monde se rassembla devant la baie pour célébrer la victoire.

Cependant, pour Tarass, Kayla et Trixx, ce n'était certes pas un moment de grandes réjouissances. Ils regardaient tous les trois, d'un air abattu, la petite feuille de bouleau. Il ne restait plus qu'une minuscule partie verte.

Le temps allait indéniablement leur manquer, il n'y avait plus aucun doute. Tarass savait que, pour sortir de la contrée et éviter la contamination totale, il leur fallait plusieurs sabliers de marche jusqu'à l'entrée du labyrinthe.

Sur le bord du quai, Zoé faisait de

grands signes avec ses bras devant la vaste étendue de la baie qui allait jusqu'à la mer, ce qui attira tout de suite l'attention.

— Mais qu'est-ce qu'elle fait ? demanda aussi Kayla, qui observait son très étrange manège.

— Je n'en ai aucune idée ! lui répondit Trixx.

Tarass émit une hypothèse non réfléchie.

— Peut-être qu'elle invoque un autre dramon ? Peut-être aussi qu'elle est une traîtresse à la solde de Khan ? Qui sait ? Après tout, pourquoi pas ? Ça n'a plus aucune espèce d'importance maintenant que nous sommes prisonniers de cette contrée, dit-il démoli…

Loin au centre de la baie apparut soudain à la surface de l'eau un remous. Craignant qu'il s'agisse d'un dramon comme le prétendait Tarass, Trixx s'élança vers Zoé pour l'arrêter.

— MAIS QU'EST-CE QUE TU FAIS ? s'écria-t-il une fois arrivé près d'elle. TU ES FOLLE ! TU INVOQUES UNE AUTRE DE CES SALES CRÉATURES

VOLANTES ! ES-TU UNE SORCIÈRE À LA SOLDE DE KHAN OU QUOI ?

Trixx plaça son épée sous son menton.

— JE T'INTIME DE CESSER TOUT DE SUITE TON PETIT MANÈGE !

Un grand silence envahit soudain le quai.

Alex voulut s'avancer vers Trixx, mais Kayla l'en empêcha.

— TOI, TU DEMEURES EXACTE-MENT OÙ TU ES ! lui hurla-t-elle, mandala en main.

Du gros bouillon qui s'avançait lente-ment vers le quai, une sorte d'œil brillant apparut, juché sur un long tuyau.

Tarass dégaina son bouclier et s'appro-cha. Sous l'œil étrange, un immense objet perça la surface dans un remous et un tumulte infernal. Il ne s'agissait pas d'un dramon, et ça, Tarass le constata.

Lorsque plusieurs tentèrent de se met-tre plus près pour mieux voir, Tarass réitéra son ordre.

— QUE PERSONNE NE BOUGE !

L'objet ressemblait vaguement à un bateau que l'on venait de renflouer. L'eau perlait et glissait sur sa coque ronde et effi-lée.

Le bruit strident de pièces de métal qui se frottent l'une contre l'autre retentit soudain. Sur le dessus du curieux bateau, une trappe métallique s'ouvrit et le visage de Max apparut, souriant.

— ALLEZ LES JEUNES ! NOUS DEVONS PARTIR TOUT DE SUITE SI NOUS VOULONS PROFITER DE LA MARÉE ! cria Max, les mains placées de chaque côté de sa bouche.

4-Trine s'approcha de Tarass et Kayla.

— Nous avions tout prévu ! leur dit-elle. Nous savions que pour vous, il était crucial de quitter la contrée avant la tombée de la nuit.

— Avec ce sous-marin, vous atteindrez en moins de deux l'île de Bakou. Cette île est située hors de notre contrée et loin des radiations, leur expliqua Alex. Max va vous y déposer. Vous y trouverez aussi l'entrée le plus près du labyrinthe de Zoombira.

Le visage de Trixx devint tout rouge. Il baissa son épée et la dissimula discrètement derrière son dos.

Zoé avait les deux bras croisés et tapait du pied. Elle arborait un visage grave.

— J'ai vraiment l'air d'une sorcière ? lui demanda-t-elle sur un ton faussement sérieux.

Trixx hocha la tête en signe de négation.

Zoé se jucha sur la pointe des pieds et lui donna un baiser sur les lèvres. Le visage de Trixx devint écarlate, car tout le monde regardait.

Un grand cercle amical se referma sur Tarass, Kayla et Trixx. Zoé prit la main de Tarass entre les siennes…

— Merci, Tarass ! Merci pour tout ce que vous avez fait pour nous, et merci de nous donner espoir.

Tous les saluèrent respectueusement.

La foule s'écarta soudain pour laisser passer une mignonne petite fille qui tenait dans ses minuscules mains… UN SIF-FLET DE RHAKASA !

Les yeux de Tarass s'agrandirent d'horreur.

— Mais… mais ! bafouilla-t-il de façon incontrôlable devant Zoé et 4-Trine. Je… je ne peux accepter ce sifflet et vous savez pourquoi. Si vous quittez la contrée, si vous vous éloignez le moindrement de la rivière contaminée, vous mourrez, vous le savez…

— Et puis après ? lui dit 4-Trine. Toi, Tarass Krikom, ne risques-tu pas ta vie tous les jours pour l'atoll depuis le début de cette grande guerre ?

Tarass demeura muet pendant quelques grains de sable du sablier.

— Je ne peux accepter ce sifflet, refusa-t-il encore. J'ai déjà plusieurs alliés.

Il sortit de sous le plastron de son armure le collier de Ryanna, auquel étaient accrochés plusieurs sifflets de Rhakasa

— Il est inutile de sacrifier vos vies, poursuivit-il. Quitter votre contrée, c'est comme signer votre arrêt de mort !

— Ce pacte entre toi et nous, les habitants de la contrée oubliée, fait partie de la prophétie, lui rappela Alex. Il a été raconté dans tous les livres. On ne peut changer le cours de l'histoire. Personne ne le peut, même pas toi, Tarass. D'ailleurs, vous aurez besoin de nos armes, et de notre technologie…

Kayla s'approcha de son ami.

— Il est vrai que cette puissante magie de la technologie est la grande responsable de la fin de chacun de ces cycles, rappela-t-elle à Tarass. Elle pourrait nous être très utile lors de la dernière bataille.

Tarass demeura impassible.

— TARASS ! POUR QUE LA PROPHÉTIE SE RÉALISE, TU DOIS ACCEPTER CE SIFFLET ET ME LAISSER DIRE CE QUE J'AI À DIRE ! le supplia Zoé.

Les yeux de Tarass se remplirent d'eau lorsqu'elle prit sa main pour y déposer le sifflet de Rhakasa.

Il hocha la tête très légèrement pour montrer qu'enfin il acceptait.

Zoé se plaça devant lui et leva la tête.

— Tarass Krikom, lorsqu'à la fin de ton long périple tu auras atteint la contrée de Drakmor, lorsque le temps de la dernière bataille sera venu…

Tarass campa ses yeux dans ceux de Zoé…

— Souffle dans ce sifflet et nous viendrons, nous aussi…

Vers une autre contrée

Sur la rive rocailleuse de l'île de Bakou, Tarass, Kayla et Trixx saluèrent Max une dernière fois. Celui-ci referma l'écoutille et le sous-marin plongea sous l'eau.

Kayla introduisit sa main dans son sac pour en ressortir la petite feuille de bouleau.

Au bout de la feuille, ils étaient tous très heureux de voir qu'il y avait encore une partie verte. Minuscule, peut-être, mais elle était là. Ils avaient donc réussi.

Kayla lâcha la feuille et laissa le vent l'entraîner à son gré.

Comme l'avait mentionné Alex, ils trouvèrent rapidement l'entrée du labyrinthe.

Les passages les conduisaient encore plus vers l'est, encore plus près de Drakmor, leur objectif. En à peine quelques sabliers, ils aboutirent à une intersection au sommet d'une montagne. Chaque passage débouchait sur une contrée.

Dans celui de gauche, qui conduisait vers la formidable contrée de Greccia, Tarass aperçut au loin deux statues colossales au regard figé et hostile. Bras croisés, elles semblaient manifestement surveiller l'accès à cette contrée et promettaient à tout intrus un accueil des plus inhospitalier.

Dans celui de droite, qui débouchait sur la mystérieuse contrée d'Indie, tous les trois remarquèrent par terre les restes squelettiques d'une femme... À SIX BRAS !

La destinée des héros de cette aventure est entre tes mains. C'est maintenant toi qui as l'honneur de choisir vers quelle contrée diriger Tarass, Kayla et Trixx…

À TOI DE CHOISIR LA SUITE DE L'AVENTURE ENTRE CES DEUX ROMANS...

7 Les yeux de la méduse

8 Dans les pièges de Shiva

Choisis entre le roman n° 7 et le roman n° 8, ou choisis les deux, pour connaître tous les détails de cette grande épopée de Zoombira…

LEXIQUO

Alchimie : science occulte constituée de technique chimique et de magie.

Alchimiste : personne qui pratique l'alchimie.

Antre : lieu qui abrite un être mystérieux et inquiétant.

Athanor : fourneau utilisé par les alchimistes.

Atoll : grande masse de terre sur laquelle sont regroupés tous les continents.

Bleu : surnom de Trixx Birtoum, ami de Tarass Krikom.

Bouclier de Magalu : arme puissante possédant des qualités magiques.

Coraline : mère de Tarass Krikom.

Dramon : monstre volant fabuleux qui possède trois têtes. Si une tête est coupée par une épée ou une hache, deux autres repoussent.

Fagôre : forêt hantée de sortilèges errants.

Grande peste : nom donné par les anciens aux radiations ou aux émissions de particules radioactives hautement dangereuses et mortelles.

Grain de sable du sablier : unité de mesure du temps. Cinq grains de sable du sablier sont l'équivalent d'une seconde.

Grimoire : livre de sortilèges de magie ou de sorcellerie.

Gros objet : voiture ou automobile.

Hécatombe : massacre d'un grand nombre d'animaux, de créatures ou de personnes.

Hypothétiquement : qui ne constitue qu'une hypothèse.

Kayla Xiim : amie de Tarass Krikom et Trixx Birtoum. Apprentie de Marabus, magicienne des mandalas.

Khonte Khan : guerrier adepte de sorcellerie noire et désireux de conquérir tout l'atoll de Zoombira.

Krâlors : animaux difformes et vidangeurs de l'antre, qui rampent sur le sol et qui ressemblent vaguement à de grosses tortues.

Lagomias : grande contrée de l'atoll de Zoombira et contrée de Tarass Krikom.

Magma : matière en fusion qui jaillit des volcans en éruption.

Maître suprême : ambition et objectif de Khonte Khan.

Mandalas magiques : dessins géométriques et symboliques de l'univers. Pouvoirs magiques de Kayla Xiim.

Mandala de barrage : dessin magique créant un obstacle de protection ou un mur transparent.

Mandala de décélération : dessin magique qui ralentit grandement ceux qui en sont envoûtés.

Mandala de dédoublement : dessin magique qui crée une image réaliste des personnes qui l'utilisent.

Mandala de détection : dessin magique qui a la propriété de dévoiler tout ce qui n'est pas visible ou qui est caché.

Mandala de neutralisation : sortilège puissant qui a la propriété de neutraliser les sortilèges et les mauvais sorts.

Mandala de plume et pierre : sortilège qui rend léger comme une plume et ensuite lourd comme une pierre.

Marabus : grand mage, tante de Kayla Xiim.

Moritia : ville natale de Tarass, dans la contrée de Lagomias.

Morphom : pouvoir de métamorphose de Trixx Birtoum.

Officine : laboratoire où l'on combine le plan de quelque chose de secret et de très mauvais.

Ograkks : soldats guerriers des armées de Khonte Khan.

Pierre philosophale : substance qui, selon les alchimistes, posséderait la propriété de transformer les métaux en or.

Pierre de chimère : œil de Marabus sur le torse de Tarass Krikom.

Pleutre : homme lâche, dépourvu de courage.

Radiation : émission de particule radioactive hautement dangereuse et mortelle.

Ravageur : nom donné à Tarass Krikom dans les anciens textes noirs de Drakmor.

Ryanna : amie de Tarass Krikom. Raison première de cette grande quête.

Sablier : instrument composé de deux vases ovoïdes. Le vase supérieur est rempli de grains de sable et se déverse lentement dans l'autre pour mesurer le temps. Un sablier est l'équivalent d'une heure.

Sifflet de Rhakasa : petit instrument qui émet un son aigu pouvant être entendu partout sur l'atoll de Zoombira.

Trixx Birtoum : ami de Tarass Krikom et de Kayla Xiim. Surnommé Bleu.

Véhémence : force impétueuse, grande intensité.

Zarkils : troupe d'élite au service de Khonte Khan, constituée de grandes créatures meurtrières et sanguinaires.

Zoombira : nom donné aux continents regroupés sur la terre.